Inhalt

1) Abdruck mit freundlicher Genehmigung von Ruedi Wachter, Rorschach
2) Abdruck mit freundlicher Genehmigung von Emanuel Strässle, Rorschach
3) © Copyright by Musikverlag Karl Grossmann, Chur
Abdrucksrechte mit Genehmigung für Schwyzerörgeli: Edition Walter Wild
4) © Copyright by Musikverlag Jacques Huber, St. Gallen
Abdrucksrechte mit Genehmigung für Schwyzerörgeli: Edition Walter Wild

Instrumenthaltung

Den Daumen am Griffbrett halten und auf eine lockere, runde Handstellung achten

Den Riemen eine Handbreite über dem Ellbogen anlegen

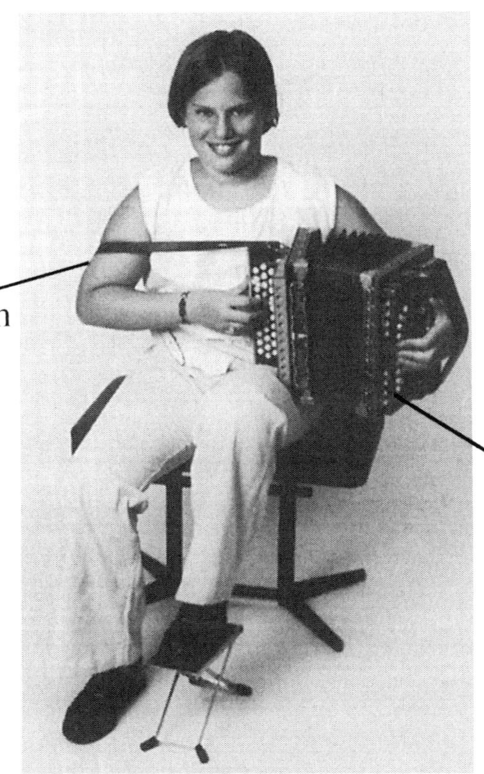

Balgführung eher nach unten bewegen

Linkes Bein auf dem Schemel platzieren

Das Örgeli wird auf die linke Seite des Oberschenkels gestellt.

Wie öffne und schliesse ich das Schwyzerörgeli ?

Das Schwyzerörgeli besitzt einen Innenverschluss. Zuerst stelle ich das Örgeli auf den Kopf und drücke es zusammen. So löst sich der Innenverschluss, und das Instrument lässt sich bequem öffnen. Gleichzeitig drücke ich ausnahmsweise mit dem Zeigefinger den Luftknopf. Es ist dabei wichtig, nicht allzuviel Kraft anzuwenden.
Um das Schwyzerörgeli zu schliessen, neige ich das leicht geöffnete Örgeli auf den Kopf und drücke es während dem Zurückdrehen fest zusammen.

Instrumenthaltung

Das Schwyzerörgeli wird mit dem Brustkorb aufgefangen. Der Körper und das Schwyzerörgeli sind leicht nach vorne geneigt. Das Instrument sollte nicht verkrampft gehalten werden aber trotzdem so fest, dass ein lockeres Spiel und schnelle Balgwechsel möglich sind.

Stellung der linken Hand

Der kleine Finger liegt auf den Bassknöpfen und der Daumen auf dem Luftknopf, wobei die Hand etwas hohl gehalten wird.
Der Handriemen darf nicht drücken, soll aber satt anliegen.

Wie pflege ich mein Schwyzerörgeli ?

Das Schwyzerörgeli darf nicht zu grosser Hitze und Feuchtigkeit ausgesetzt sein - also nicht im Keller oder Estrich aufbewahren - und muss vor direkter Sonnenbestrahlung geschützt werden. Zu trockene Luft im Winter kann durch einen Luftbefeuchter ausgeglichen werden.
Auch Schläge sind zu vermeiden.
Zur Reinigung kann das Instrument mit einen Staublappen abgerieben werden.

Systemansicht (rechte Hand)

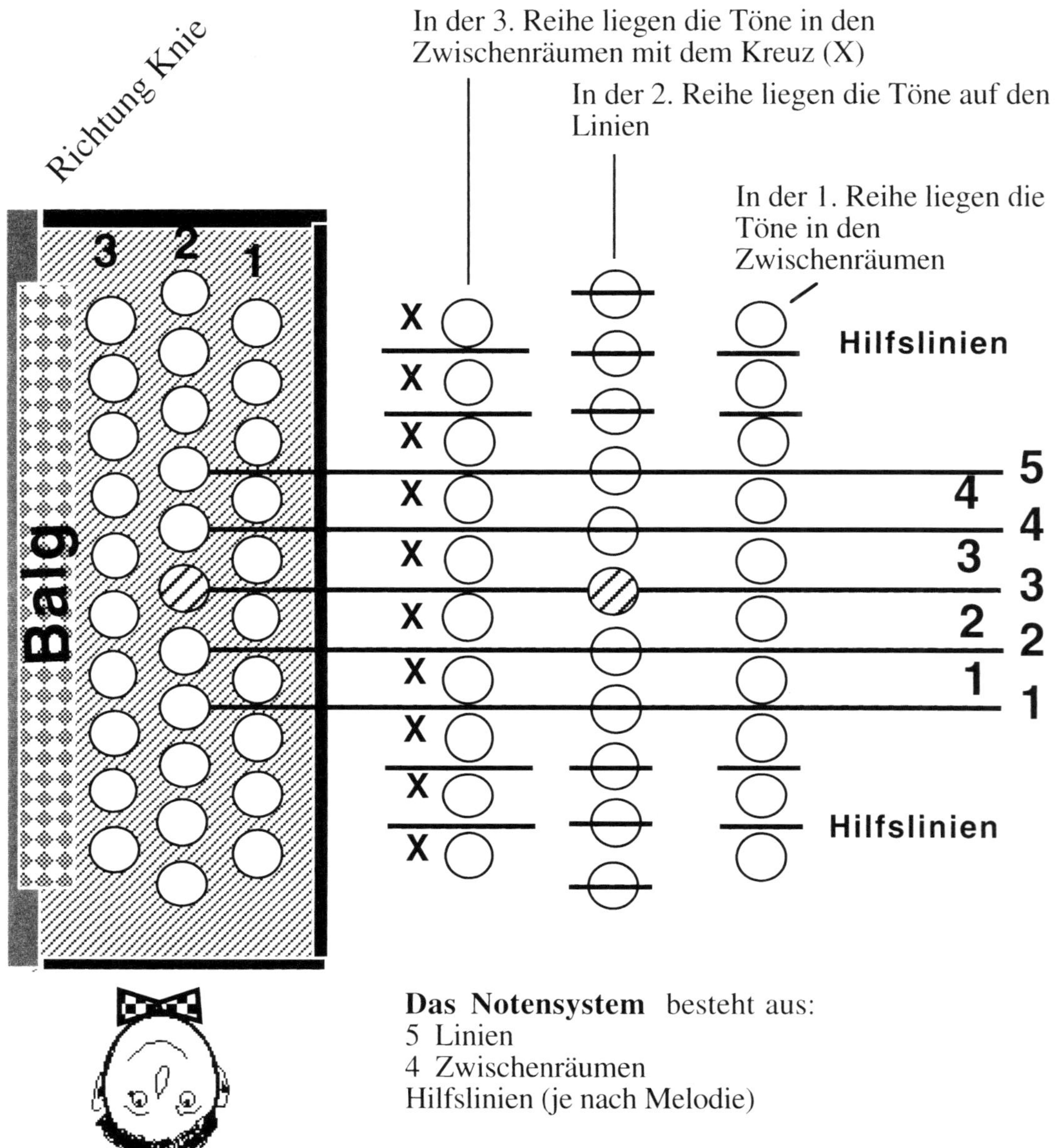

Das Notensystem besteht aus:
5 Linien
4 Zwischenräumen
Hilfslinien (je nach Melodie)

Das Griffsystem

Die Lehrschule beruht auf einem ausgesprochenen Griffsystem.
Die Noten zeigen die Positionen (Knöpfe) auf dem Schwyzerörgeli an.
Das Griffsystem setzt sich folgendermassen zusammen:

- Die Noten in den Zwischenräumen werden in der 1. Reihe gespielt.
- Die Noten auf den Linien werden auf der 2. Reihe gespielt.
- Die Noten in den Zwischenräumen (mit X bezeichnet) werden in der 3. Reihe gespielt.

Die Notenwerte entsprechen der üblichen Notenschrift.

Notenwerte

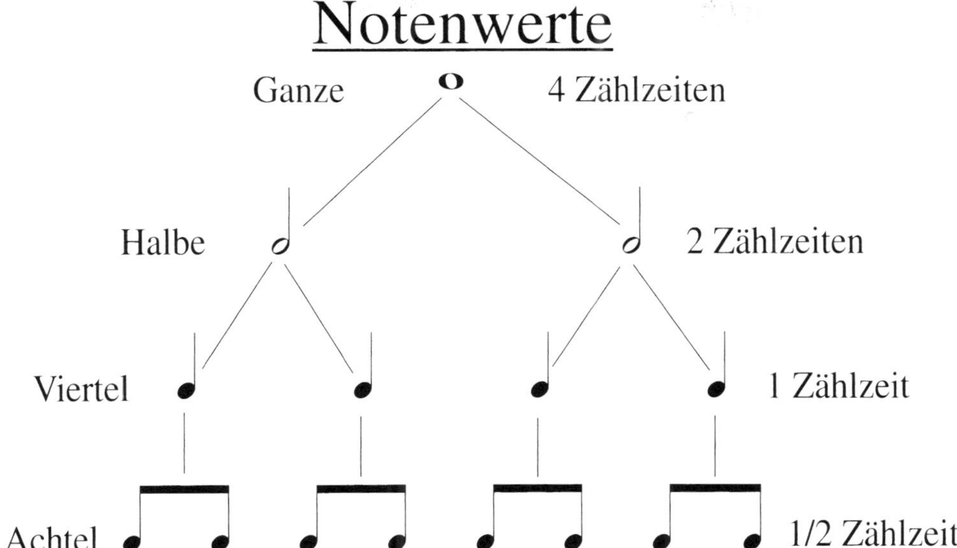

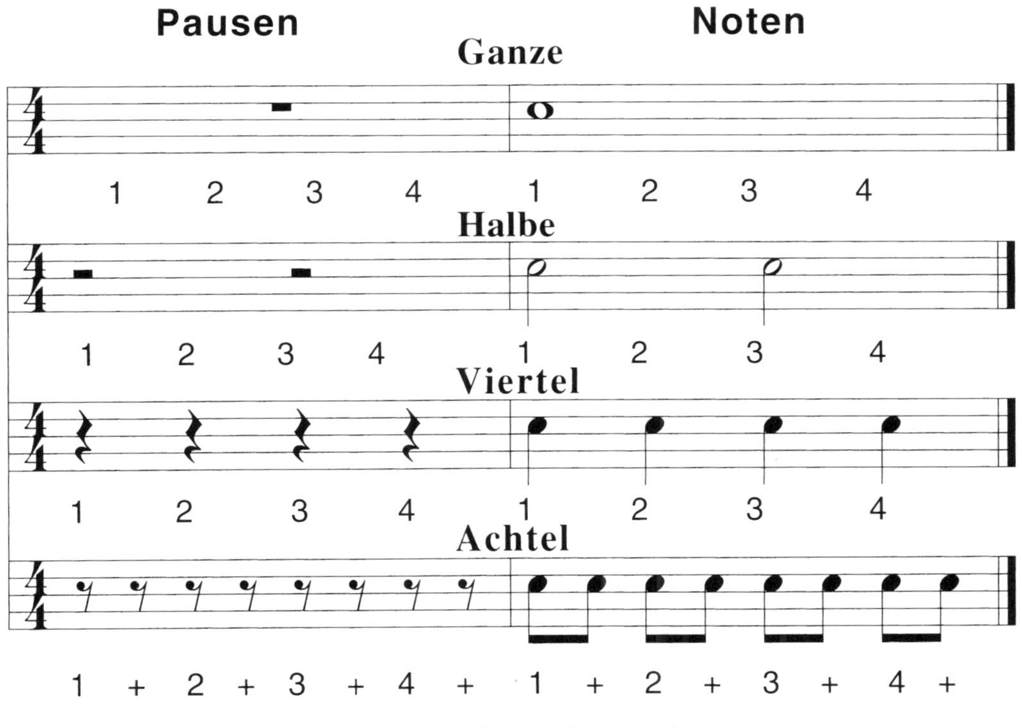

Pausen sind Schweigezeichen.

Wie kommt das Schwyzerörgeli zum Klingen?

Die ideale Haltung wie auf den Seite 2 und 3 beschrieben, ist wichtig, damit das Schwyzerörgeli richtig zum Klingen kommt. Der Klang entsteht durch Drücken einzelner oder mehreren Tasten und gleichmässiges Zudrücken und Aufziehen des Balges. Der Balg sollte sehr ruhig geführt werden. Luftprobleme werden später mit dem Luftknopf während des Spiels ausgeglichen, aber nicht in den Schlüssen der Musikteile.Viel Vergnügen!

Erstes Spiel

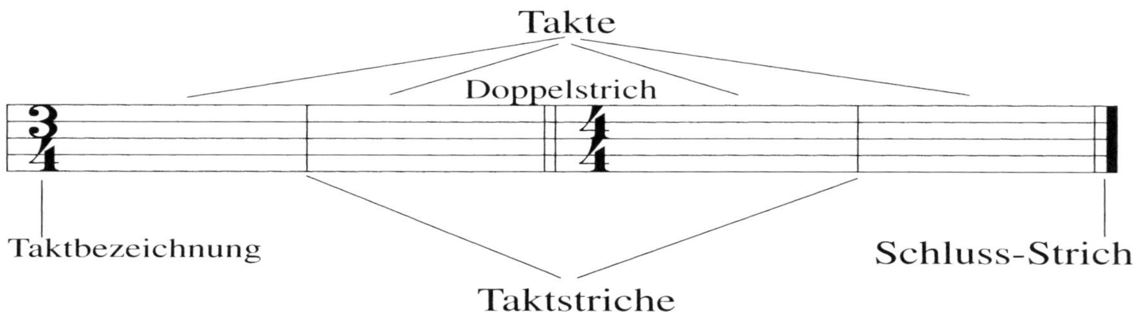

Wir spielen Melodie

Zeigefinger auf den 4. Knopf der 2. Reihe legen. Für den Start müssen wir den Balg zuerst öffnen. Dicker Strich = Örgeli schliessen, dünner Strich = Örgeli öffnen.

2 3
1 2 3 4
zähle

dicker Strich = Balg stossen **dünner Strich = Balg ziehen**

5 4

2 3
1 2 1 2
zähle

5

2 3
1 2 3 4
zähle

5 3

Erste Versuche

Hänschen klein

Zeigefinger auf den 4. Knopf der 2. Reihe legen. Den 3., 4. und 5. Finger richten wir zum Zeigefinger auf der 2. Reihe aus.

Es ist wünschenswert, noch andere Volkslieder aus dem Stegreif auszuprobieren.

Alli mini Entli

Der Fingersatz wird durch Zahlen angezeigt.

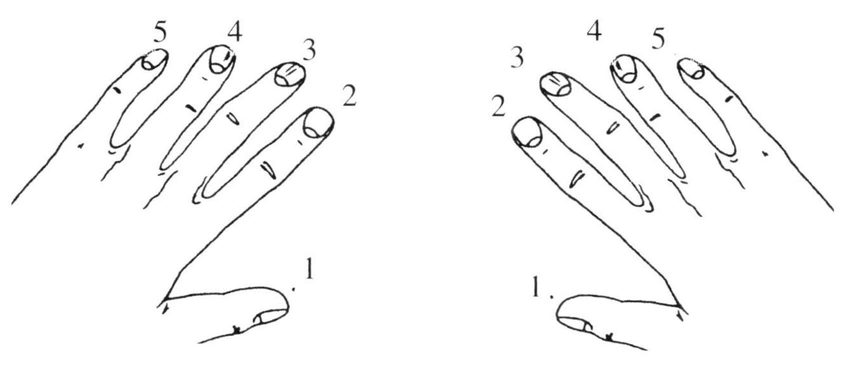

Der Bassteil (linke Hand)

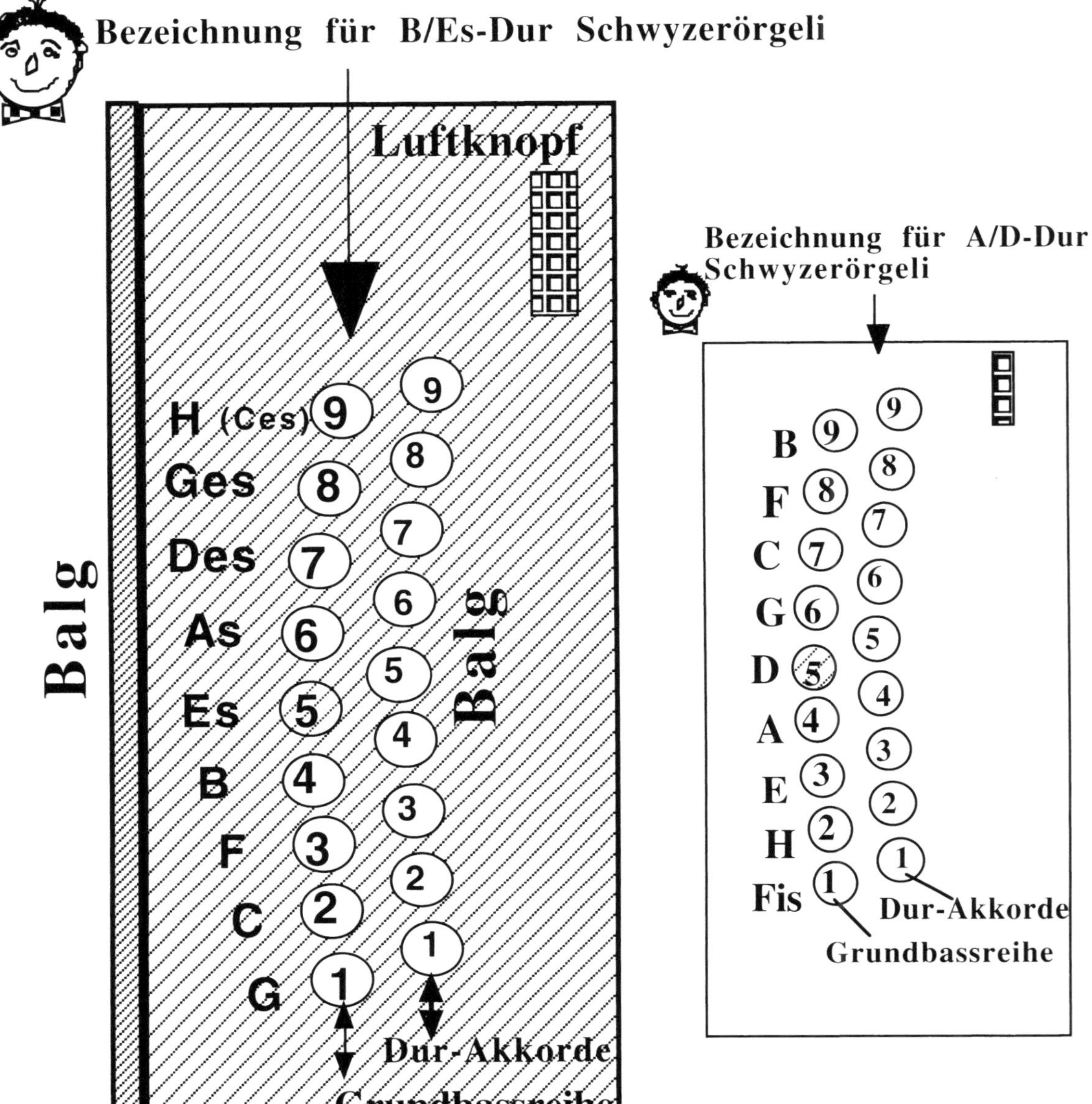

Unterschiedlich gestimmte Schwyzerörgeli

Ein Schwyzerörgeli wird immer mit der Tonart und der Anzahl Bässe bezeichnet (z.B. B/Es-Dur 18 Bässe). Die gebräuchlichsten Tonarten sind B/Es-Dur oder A/D-Dur.

Die Zahlennotierung der Bässe hat den Vorteil, dass die Griffschrift von unterschiedlich gestimmten Schwyzerörgeli gespielt werden kann. Trotzdem sollten nach und nach die Bässe mit dem Namen und nicht mit der Zahl gelernt werden (d.h. 5 = Es, 4 = B, grosse Zahl = Grundbass, kleine Zahl = Dur-Akkord).

Akkord = Zusammenklang von mindestens 3 Tönen

Das Spiel mit dem Bass

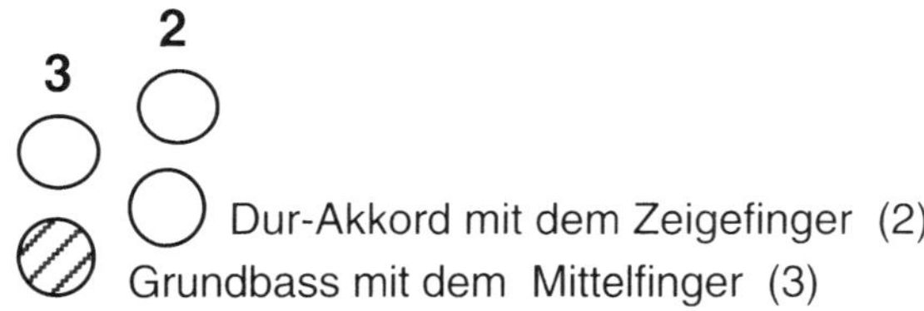

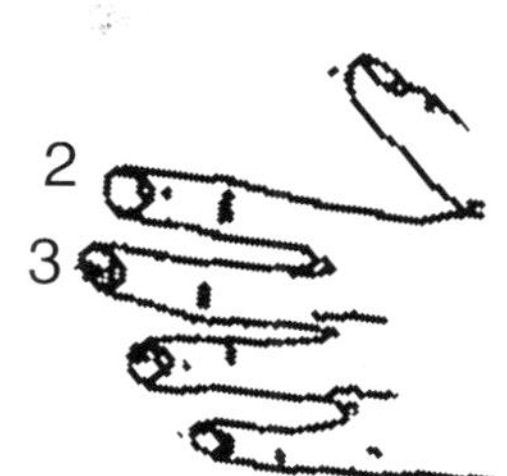

Vor dem Spielen muss der Balg mit dem Luftknopf geöffnet werden.

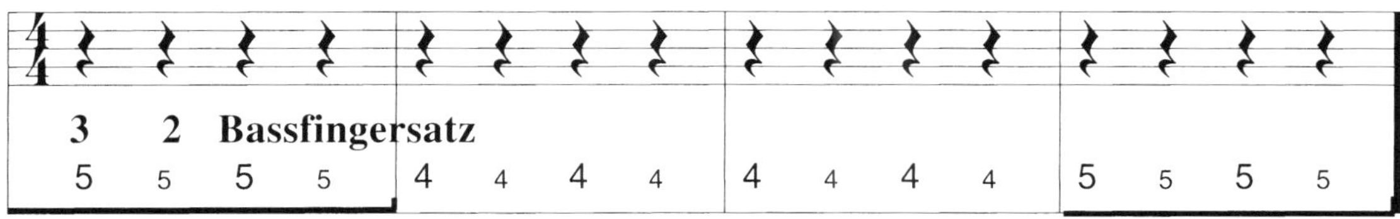

Der Grundbass wird mit dem Mittelfinger der linken Hand gespielt. (3)
Der Dur-Akkord wird mit dem Zeigefinger der linken Hand gespielt. (2)

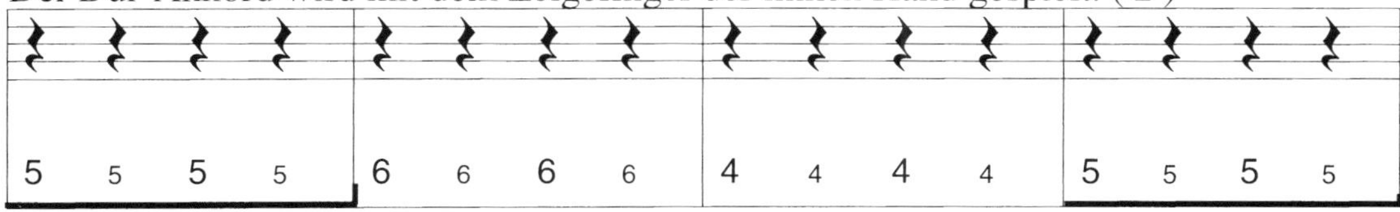

Der Bassfingersatz muss immer wieder geprüft werden.
Die Finger dürfen nicht geknickt sein.

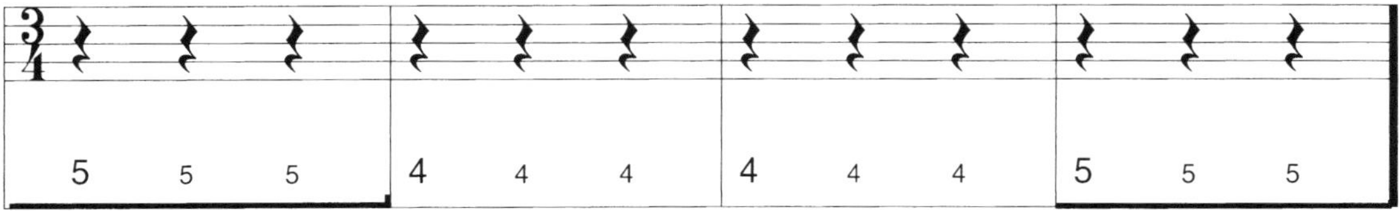

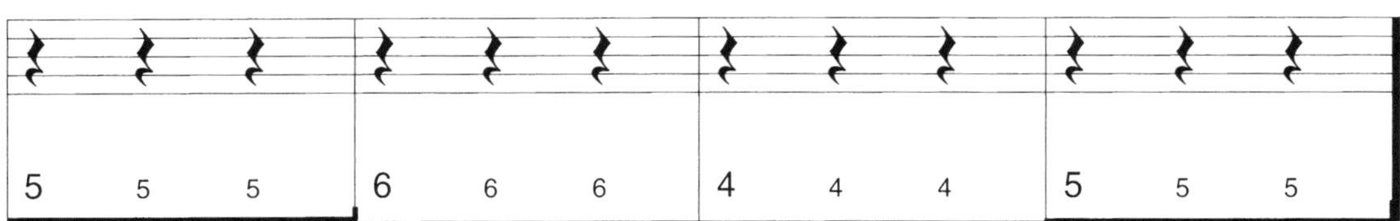

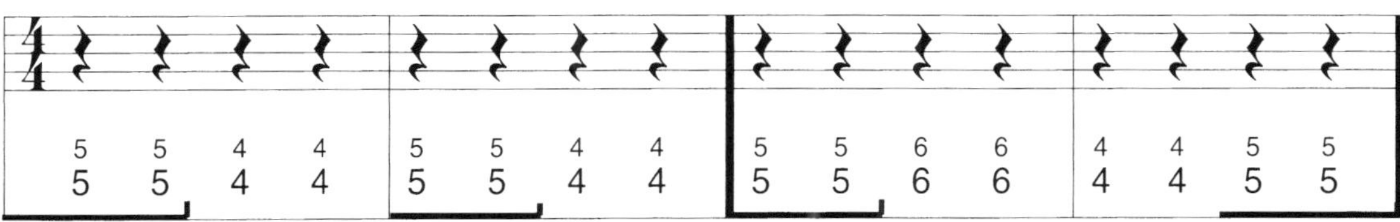

Der Balg

Der Balg ist die „Lunge“ des Schwyzerörgelis. Jede unruhige Bewegung ist schon am Anfang zu vermeiden. Schlusstöne sollten mit gedrückten Tasten gehalten werden (Balgstopp). Eine leichte und gleichmässige Führung des Balges garantiert einen ausdrucksvollen, spannenden und farbigen Vortrag.

Die Lautstärke kann durch mehr oder weniger starkes Drücken und Ziehen des Balges von sehr leise bis zu sehr laut verändert werden. Halte die Taste gedrückt und spiele von sehr leise bis zu sehr laut und umgekehrt.

1.Übung

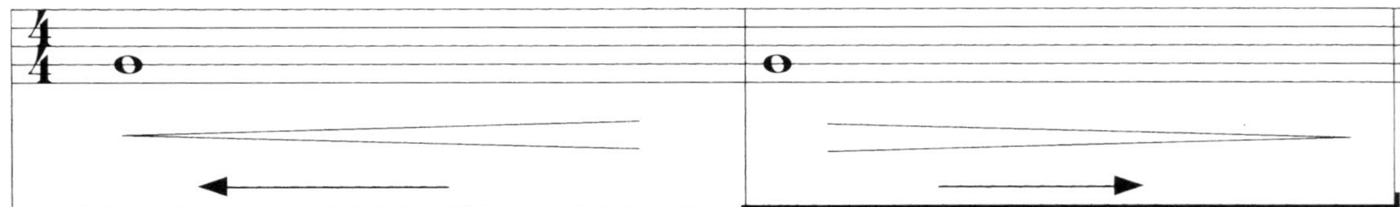

Der Luftknopf

Der Luftknopf **(L)** spielt bei der Ausführung eine grosse Rolle. In jedem Musikstück gibt es Stellen, bei welchen die Luft ausgeglichen werden muss. Am Anfang des Musikstückes muss der Balg oft geöffnet sein.

Mit der 2.Übung lernen wir, den Luftknopf gleichzeitig mit dem grossen Bass (Grundbass) zu drücken.
Es ist wichtig, die Übungen zuerst ganz langsam und später etwas schneller zu spielen.

2.Übung

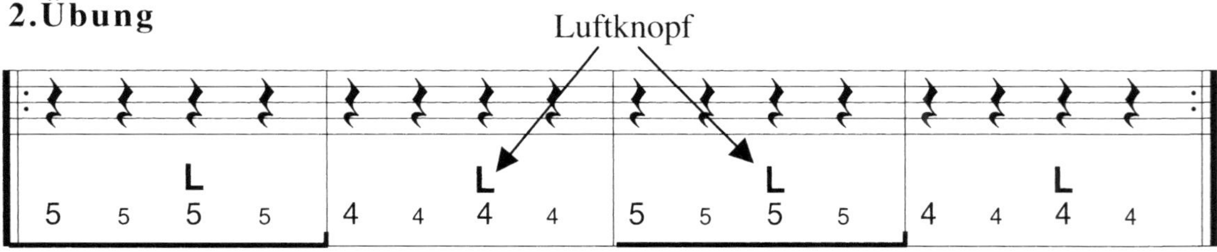

Bei der 3. Übung spielen wir die Melodie dazu. Viel Glück!

3.Übung

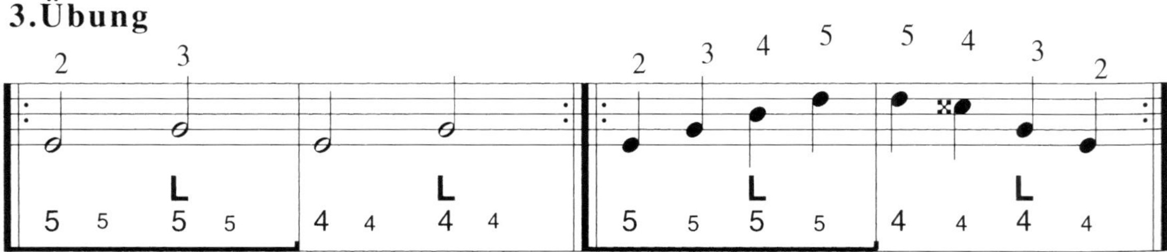

Melodiespiel mit Bass

4/4 Der gerade Takt

Im 4/4-Takt sind die Schwerpunkte folgendermassen verteilt:
Der erste Schlag schwer, der dritte Schlag nicht ganz so schwer, der zweite und vierte Schlag leicht betont.

Zeigefinger auf den 4. Knopf der 2. Reihe legen.

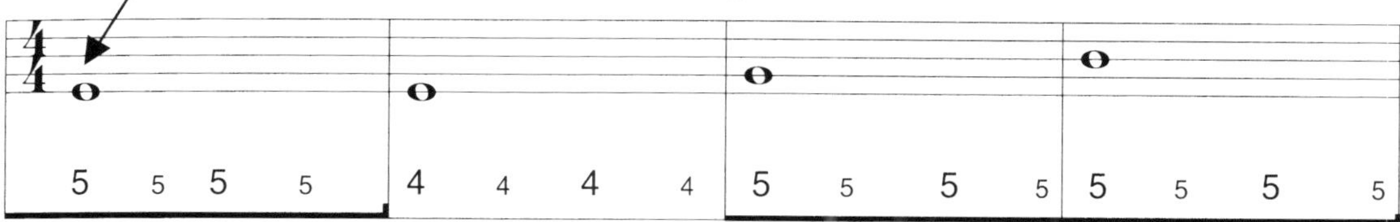

3 2 Bassfingersatz

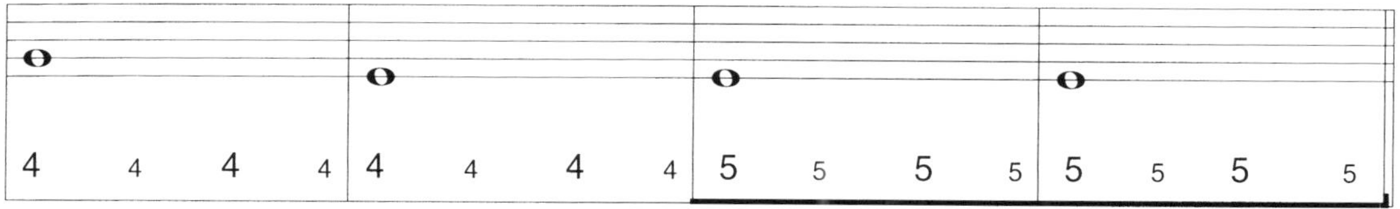

Langsames Spiel führt zum Ziel

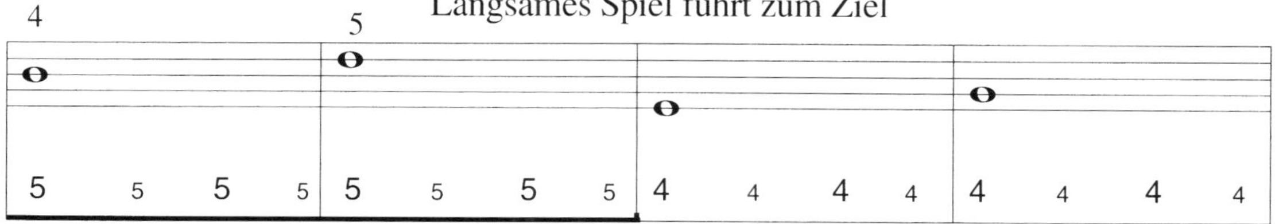

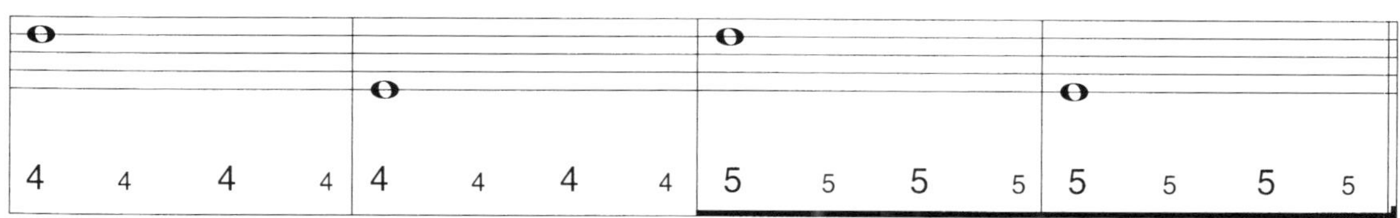

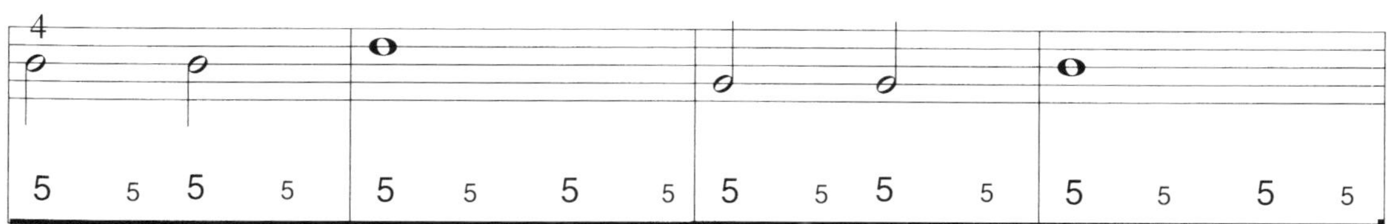

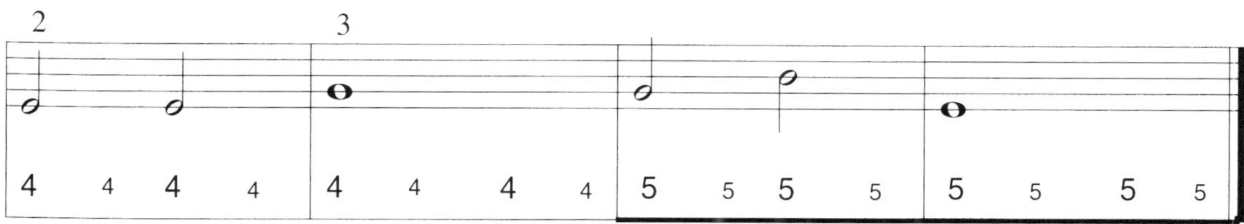

Verschiedene Taktarten

Das Wiederholungszeichen

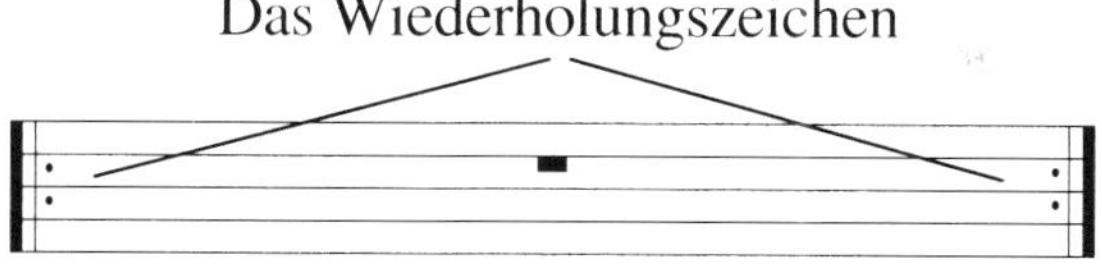

Die Takte zwischen den Zeichen werden noch einmal gespielt.
Das Wiederholungszeichen darf am Anfang des Musikstückes fehlen.

Mein erster Tanz

Die Musik sollte wie ein Gesang gespielt werden. Beende in der Regel die Schlusstöne durch Anhalten des Balges. So entsteht ein **Balgstopp**, das heisst der Ton bleibt gedrückt, bis der Balg zum Stillstand gekommen ist.

Melodie auf der 2. Reihe

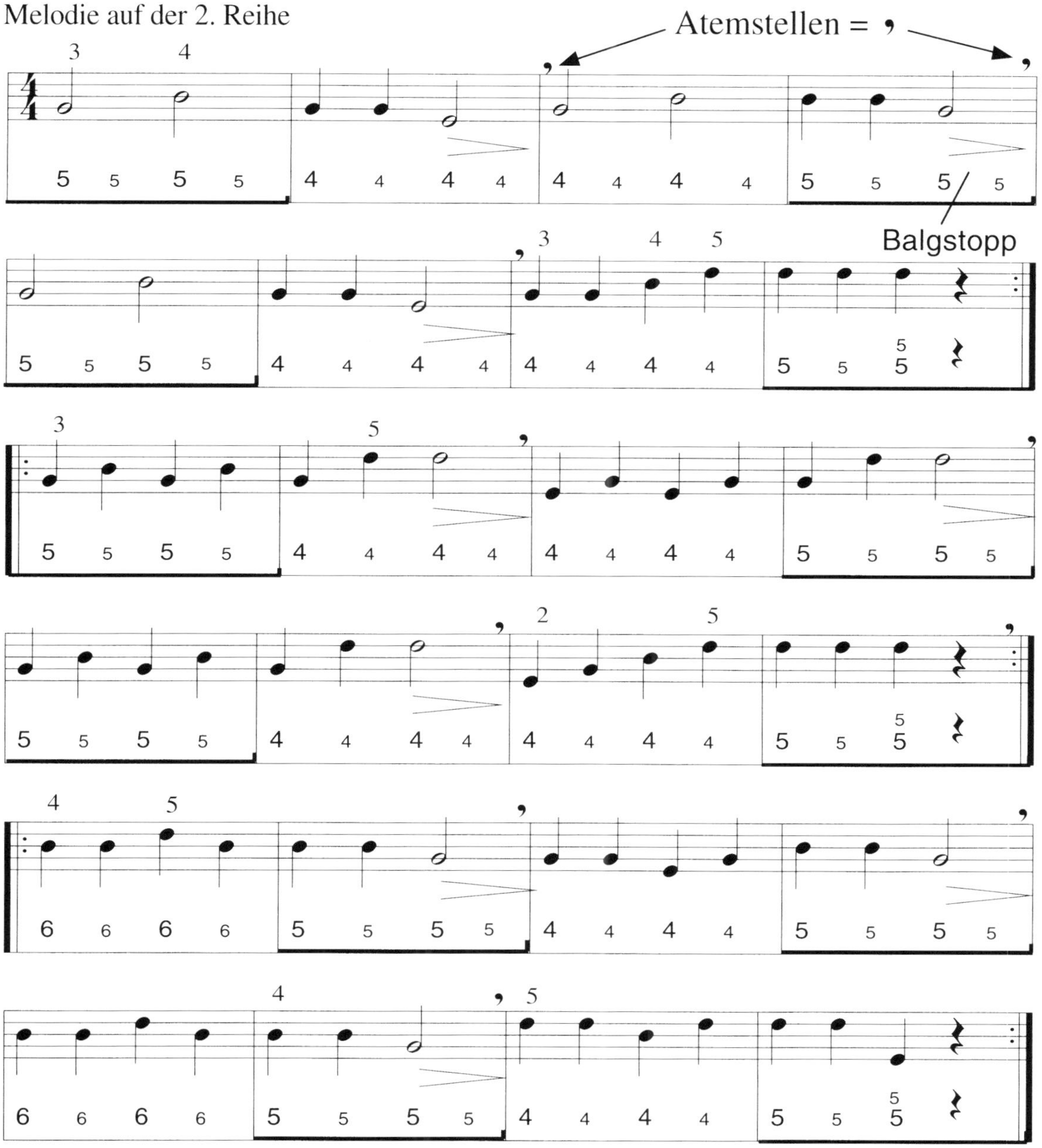

Atemstellen = ,

Balgstopp

Im 3/4 Takt

Der Walzertakt

Im 3/4 - Takt ist nur die erste Zählzeit betont.
Die zweite und dritte Zählzeit sind unbetont.

Zeigefinger auf den 4. Knopf der 1. Reihe legen.

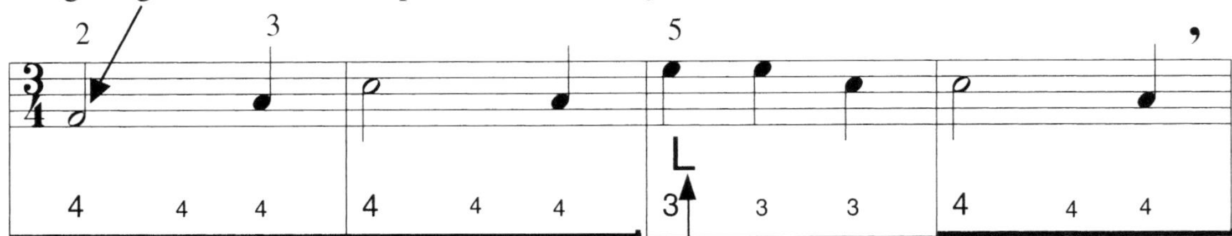

Bei den mit **L**-markierten Stellen muss die Luft ausgeglichen werden

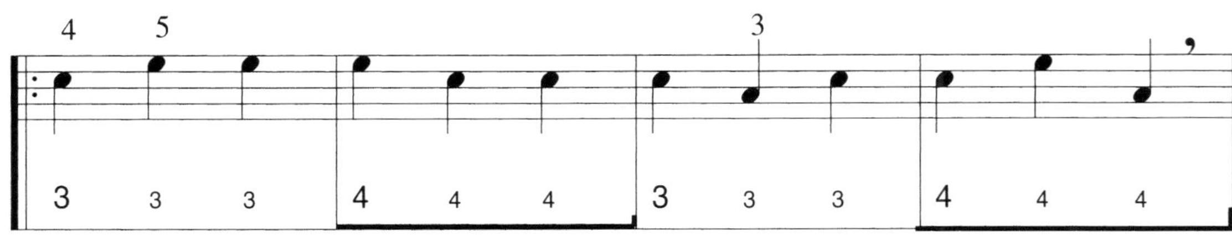

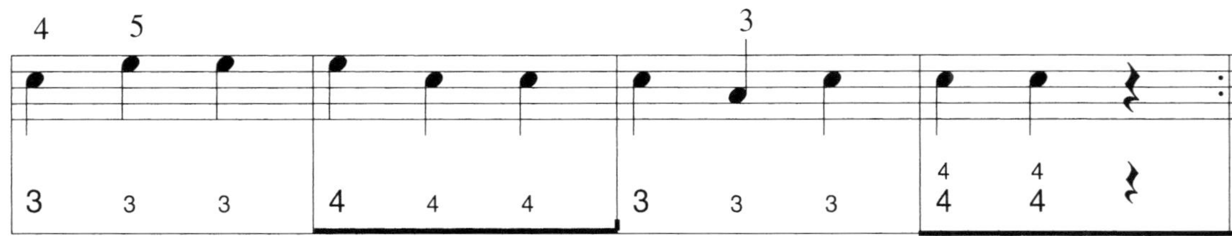

Zeigefinger auf den 5. Knopf der 1. Reihe legen.

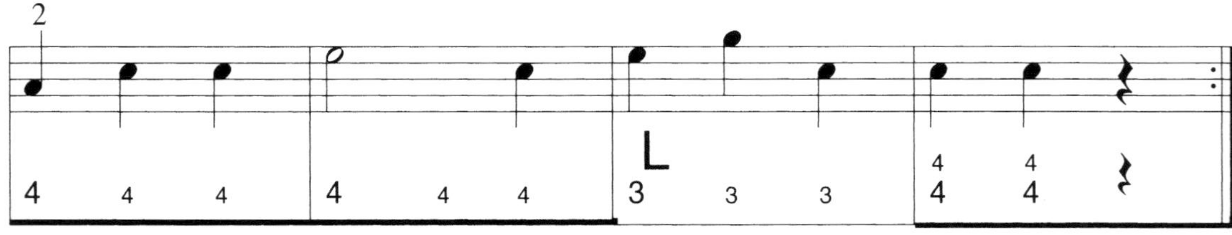

Die punktierte halbe Note

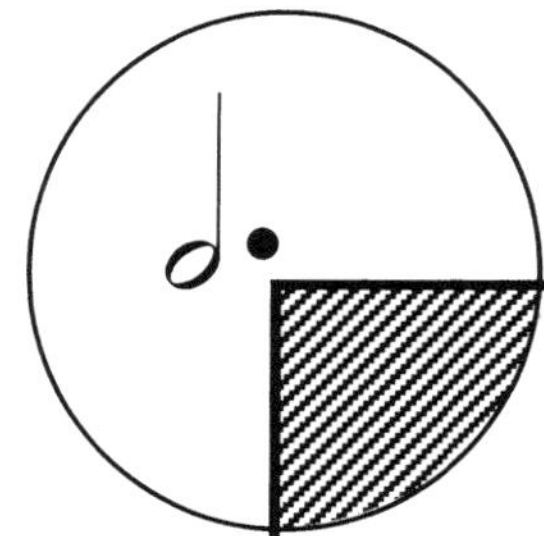

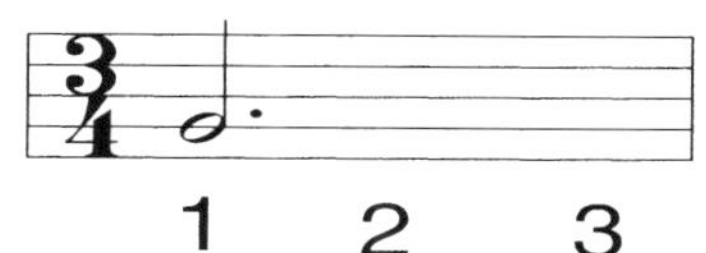

Die punktierte halbe Note wird auf drei Zählzeiten ausgehalten. Sie wird auch Dreiviertel-Note genannt.

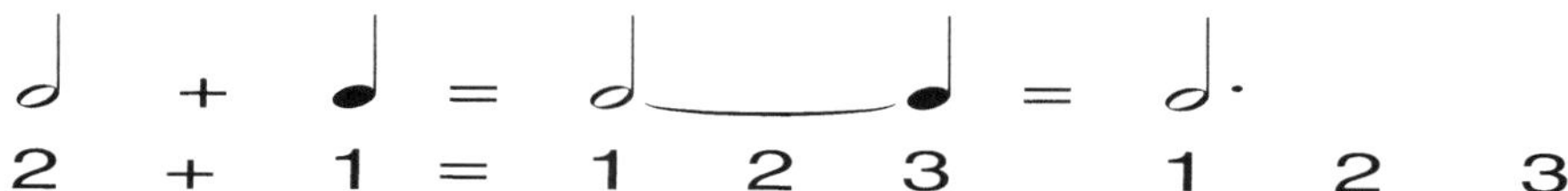

Ein Punkt hinter einer Note verlängert diese Note um die Hälfte ihres Wertes.

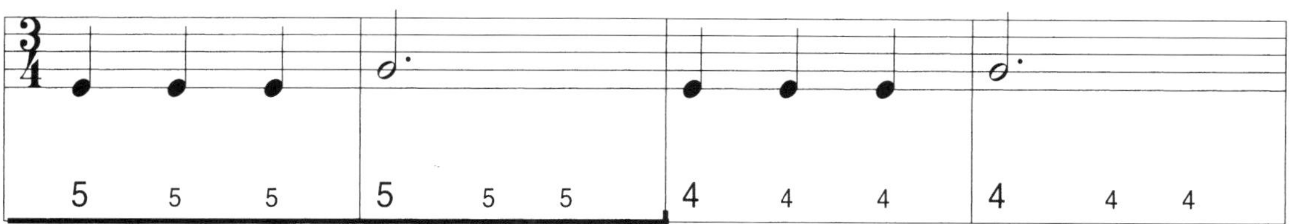

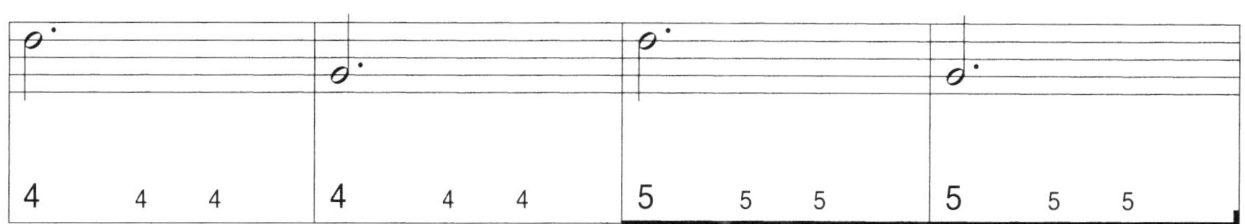

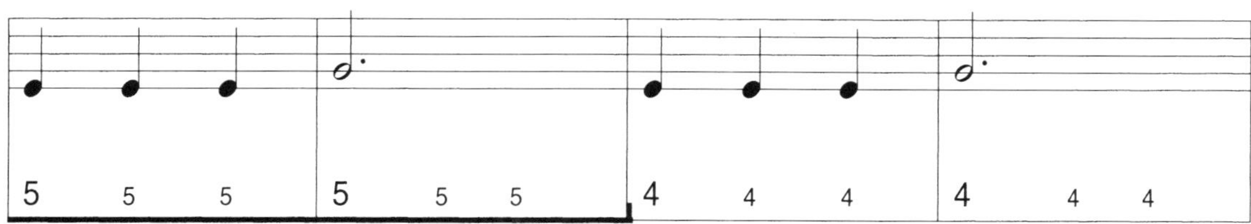

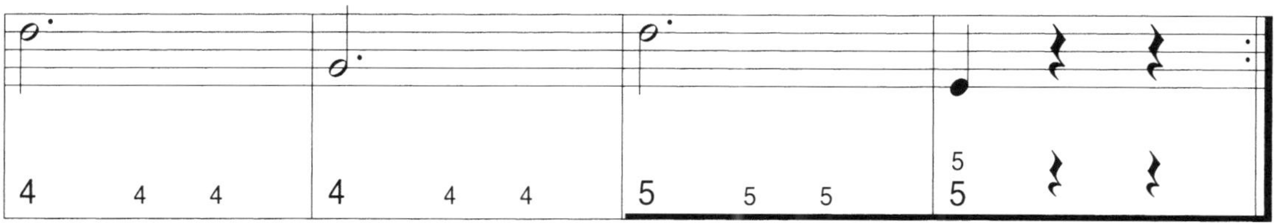

Der Haltebogen

Werden zwei Noten gleicher Tonhöhe durch einen Haltebogen verbunden, sind diese Noten in ihrer gesamten Dauer wie eine Note zu spielen. Diese durch einen Haltebogen verbundenen Noten dürfen nicht durch einen Balgwechsel unterbrochen werden.

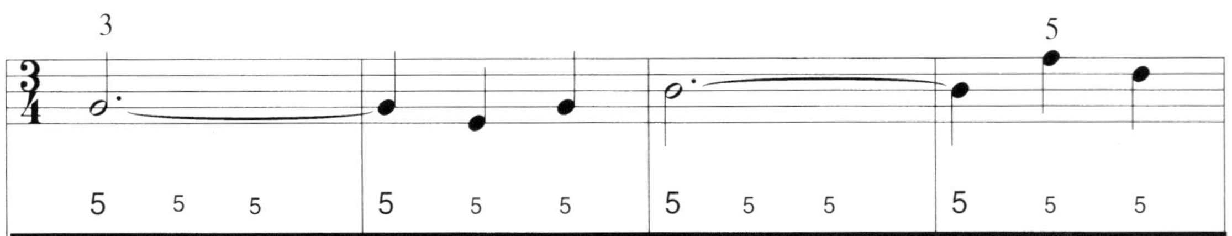

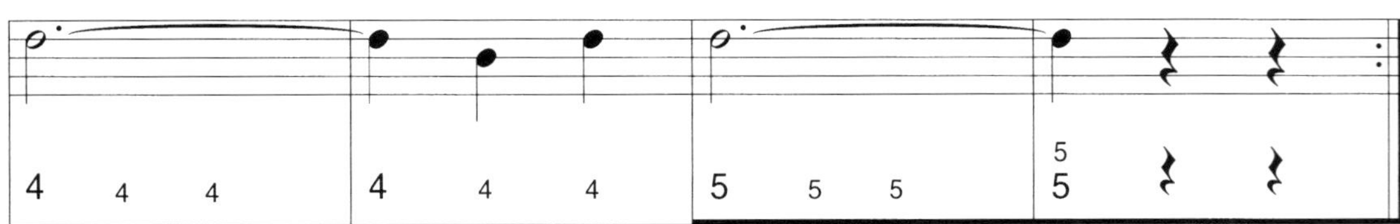

Die Dynamikzeichen

(Lautstärkezeichen)

pp	= pianissimo	= sehr leise
p	= piano	= leise
mf	= mezzoforte	= mittellaut
f	= forte	= laut
ff	= fortissimo	= sehr laut
<	= crescendo	= lauter werden
>	= decrescendo	= leiser werden

Zweistimmiges Spiel

L = Luft ausgleichen (Siehe Seite 10)

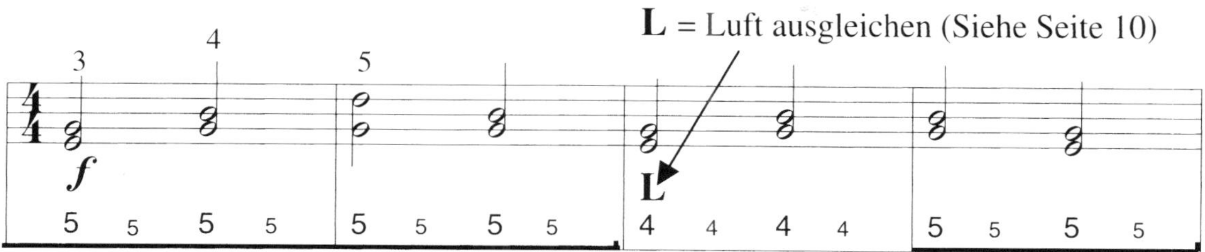

Beim zweistimmigen Spiel werden 2 Knöpfe zur gleichen Zeit gedrückt.

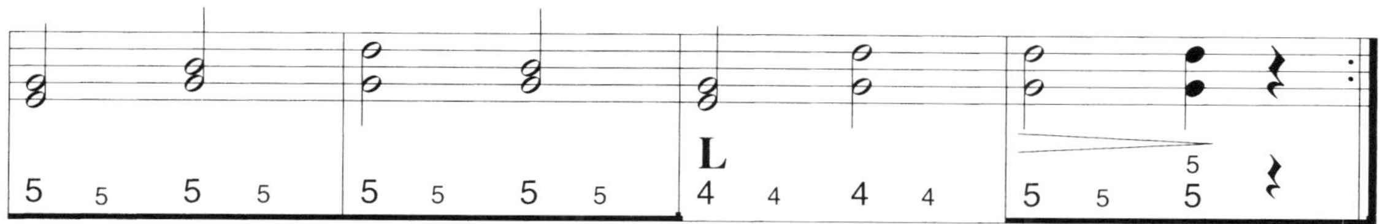

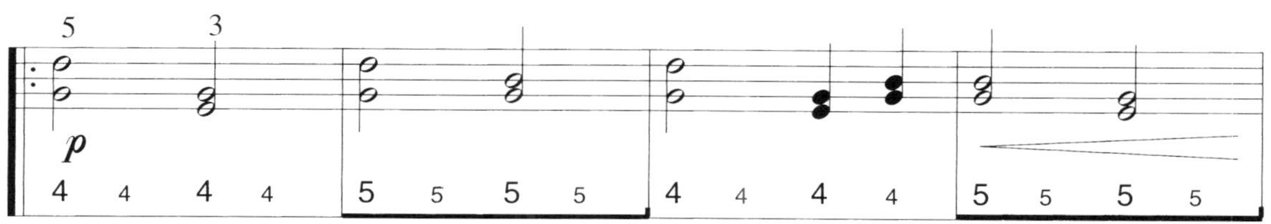

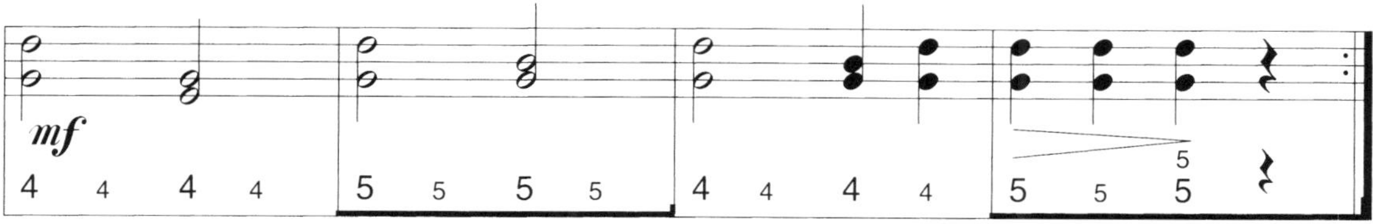

Die Handposition verschiebt sich in die angezeigte Richtung.

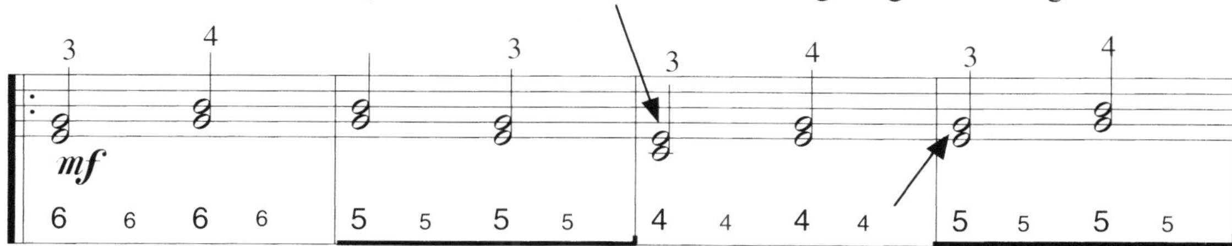

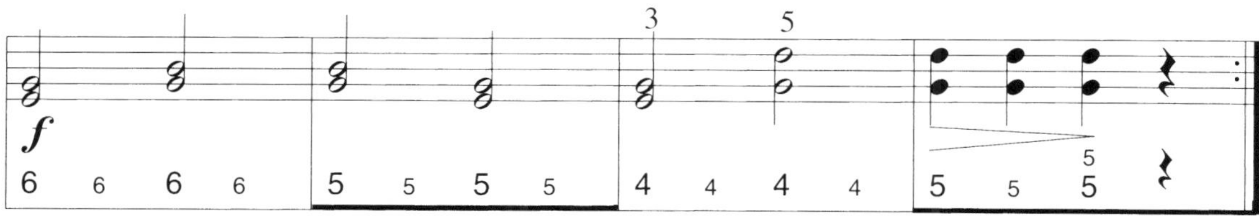

Spiel mit zwei Reihen

1.Teilstück = Spiel auf der 2. Reihe

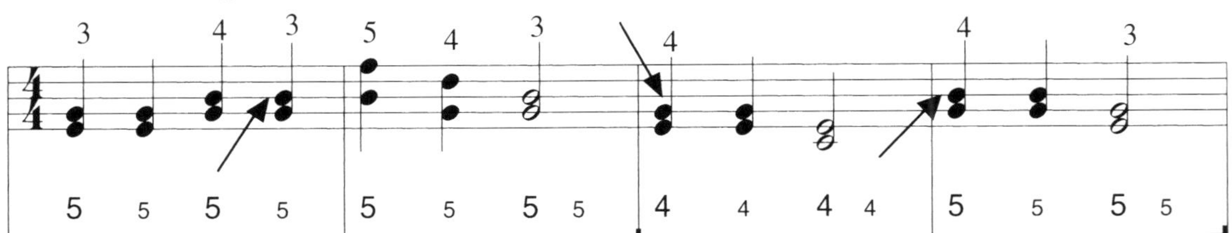

⟶ Immer bei den Pfeilen verschiebt sich die Handposition in die gezeigte Richtung.

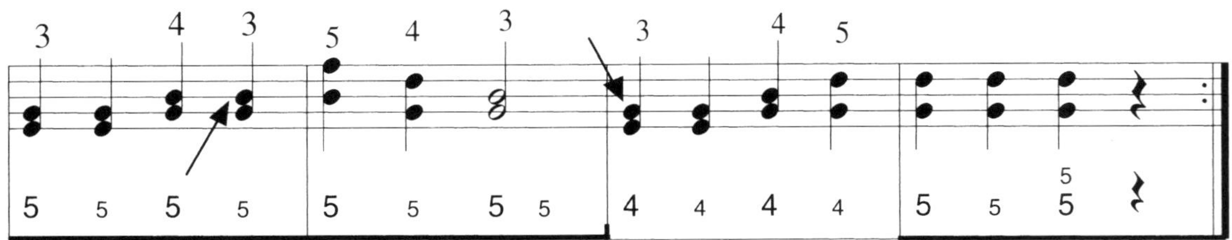

2. Teilstück = Spiel auf der 1. Reihe

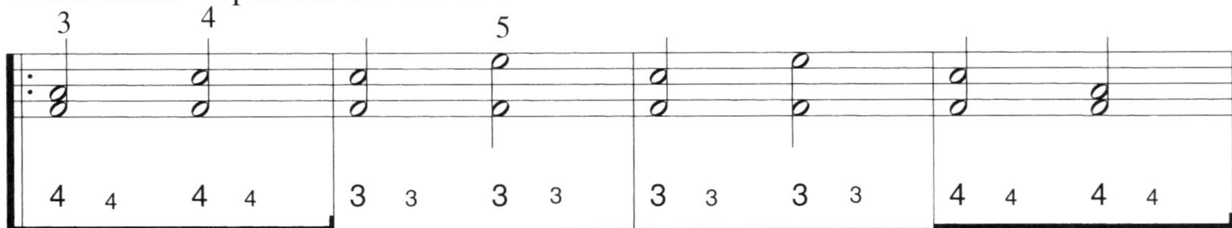

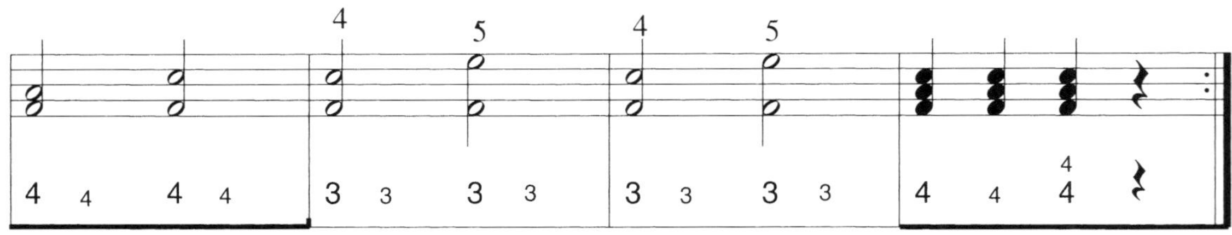

3. Teilstück = Spiel auf der 2. Reihe

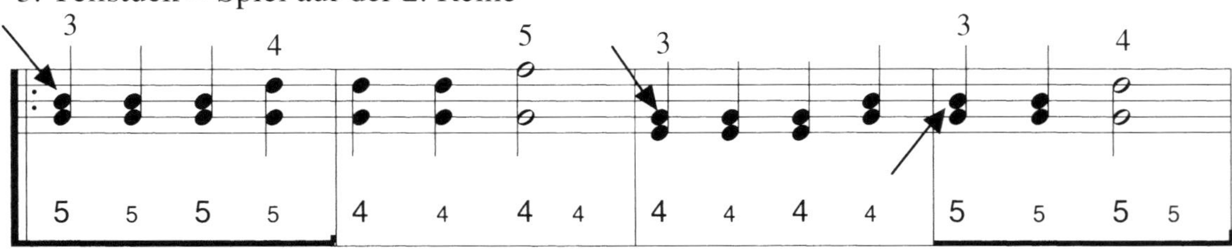

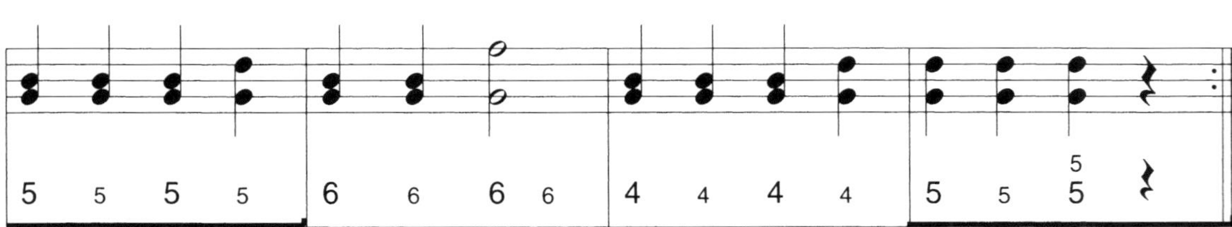

Die Klammern

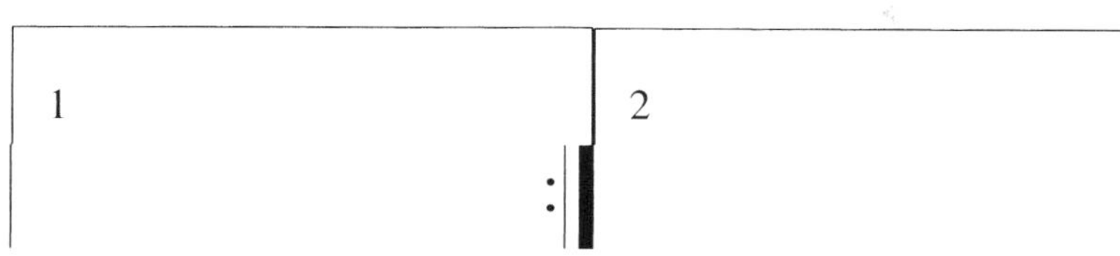

Bei vielen Musikstücken gibt es mehrere Abschnitte, die sich nur in den Schlusstakten unterscheiden. Diese abweichenden Schlusstakte werden mit 1. Klammer und 2. Klammer gekennzeichnet.
Die 1. Klammer wird beim ersten Durchlauf gespielt. Bei der Wiederholung überspringen wir die 1. Klammer und spielen die 2. Klammer.

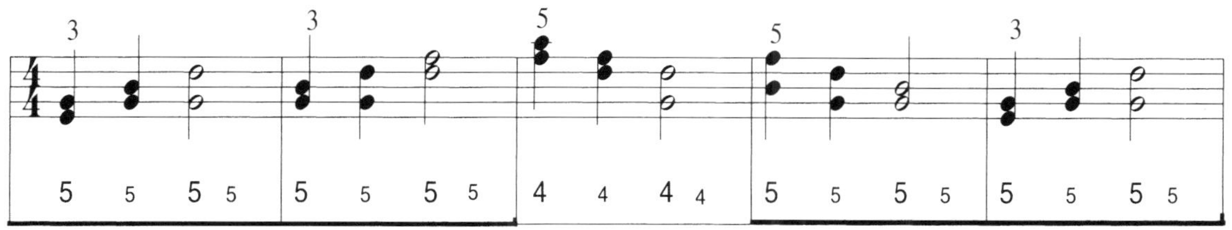

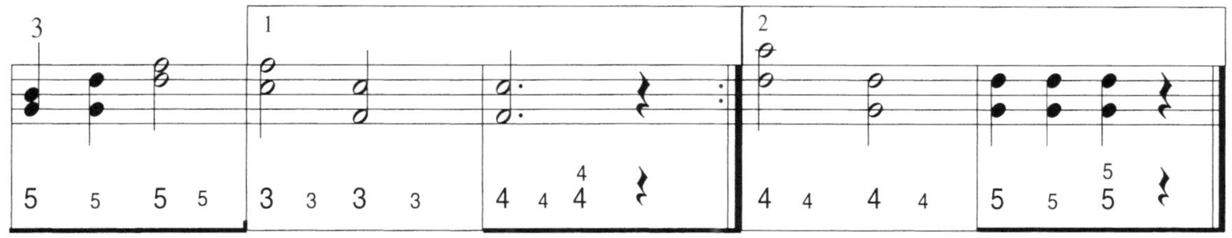

Kleine Einspielübung

Spiele diese Melodiefolge mehrmals, zuerst langsam dann schneller. Die Position dabei immer solange halten bis der neue Ton gefunden ist. Die Finger sind möglichst tief auf den Knöpfen zu halten. Diese Übung soll gebunden und kurz gespielt werden.

Die Noten mit dem X-Zeichen (x 𝅗𝅥) finden wir auf der dritten Reihe.

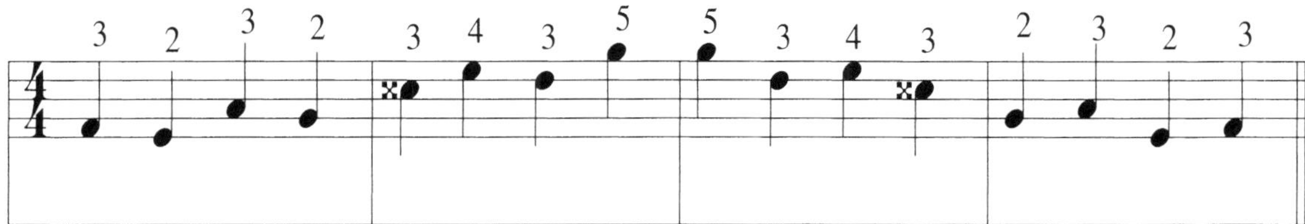

Der Auftakt

Der Auftakt ist ein unvollständiger Takt am Anfang eines Stückes. Der Auftakt ergänzt sich mit dem Schlusstakt zu einem vollständigen Takt.

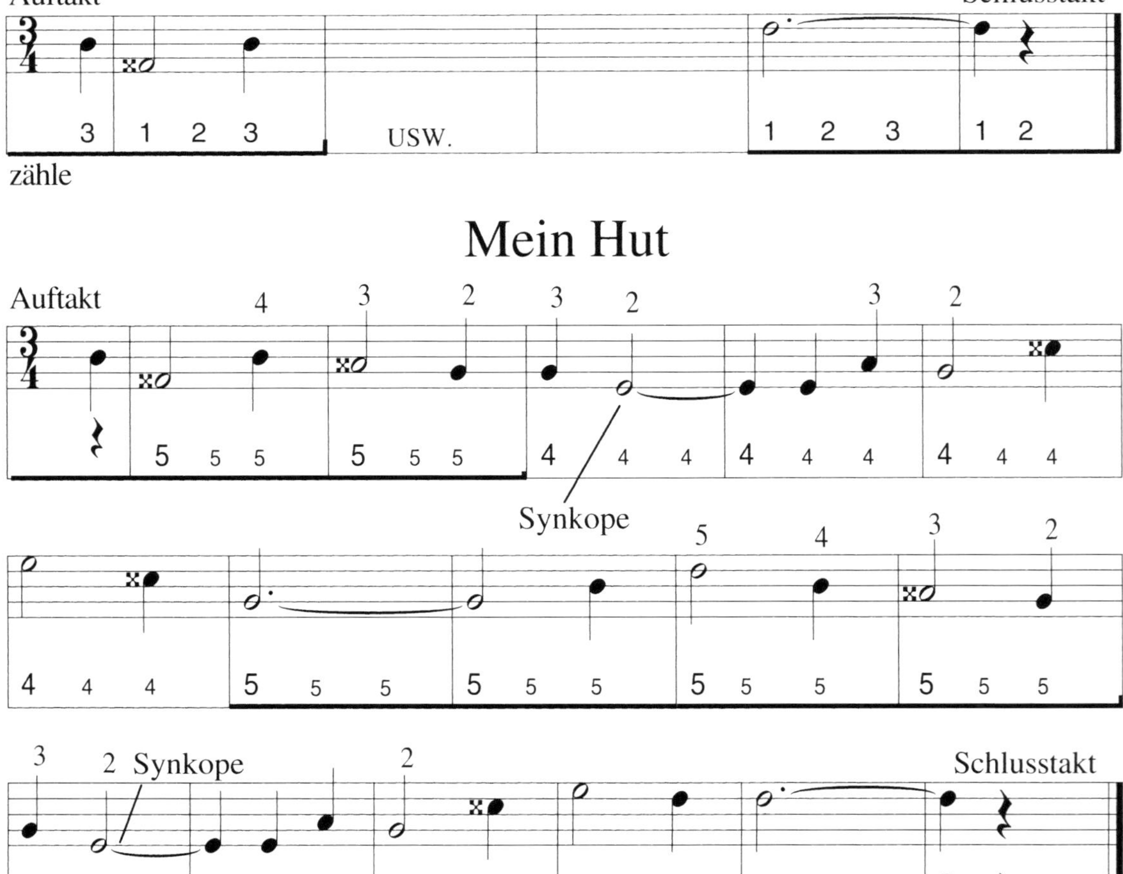

Die Synkope

Verschiebt sich die Betonung von einem schweren auf einen leichten Taktteil, so entsteht eine Synkope.

Betonungen liegen auf dem 1.+ 3. Schlag   Betonung liegt auf dem 1. Schlag

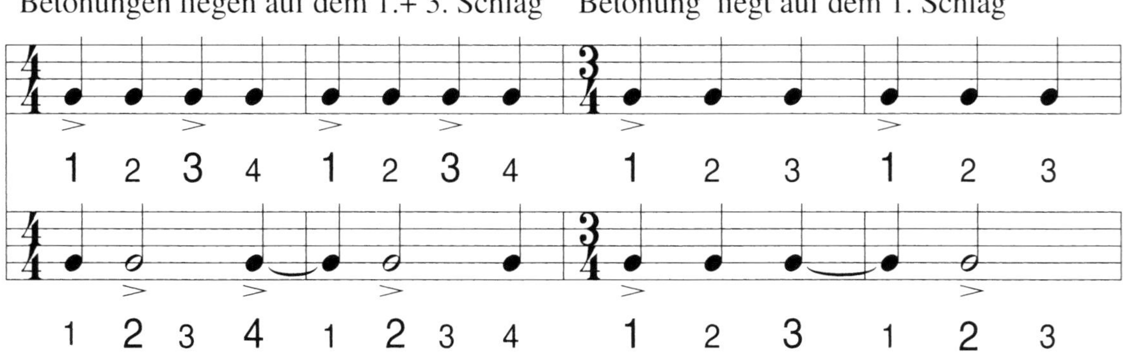

Betonungen liegen auf dem 2.+ 4. Schlag   Betonungen liegen auf dem 2.+ 3. Schlag

Heimatträume

Ländler

Traditional

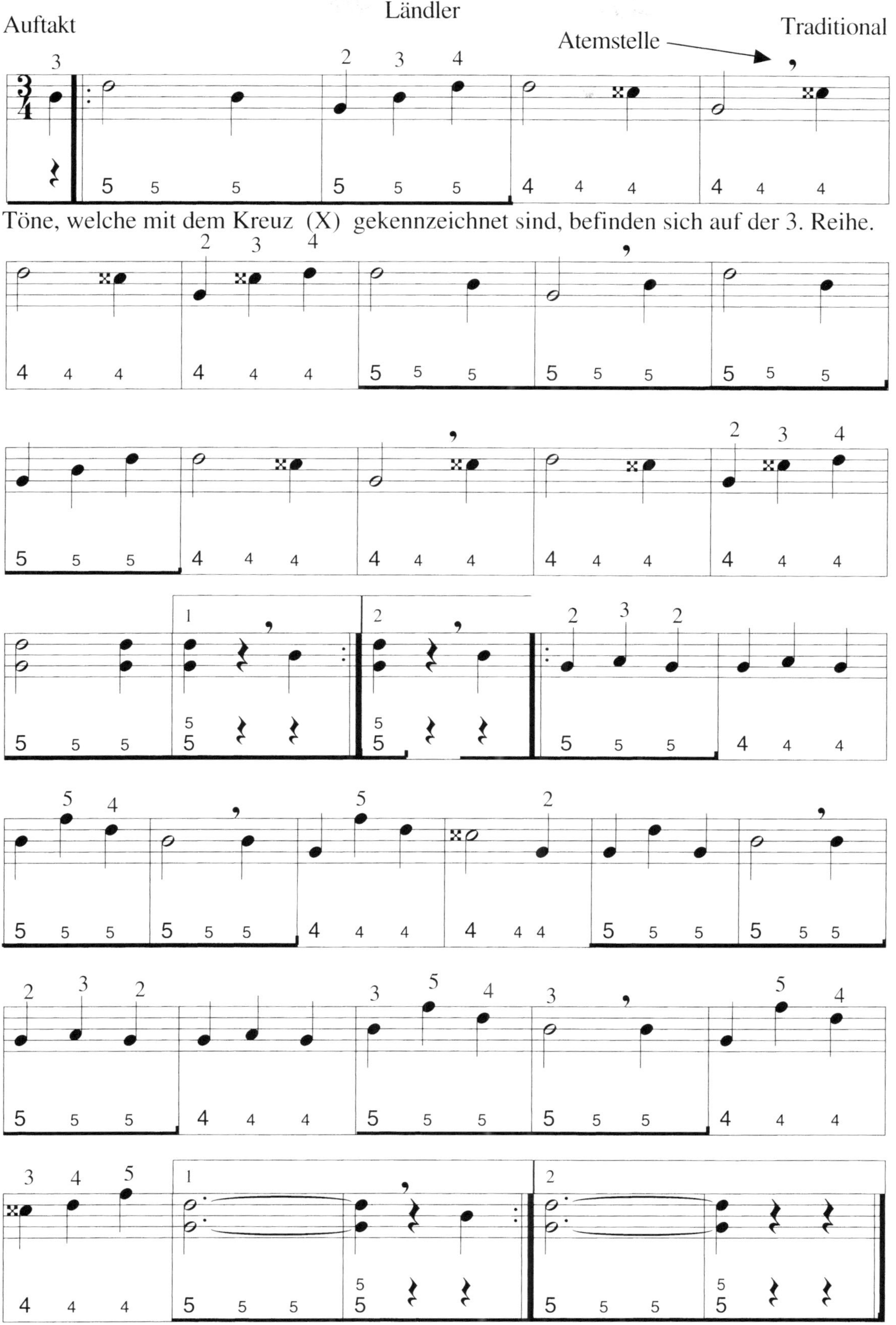

Erste Lieder

Fuchs, du hast die Gans gestohlen

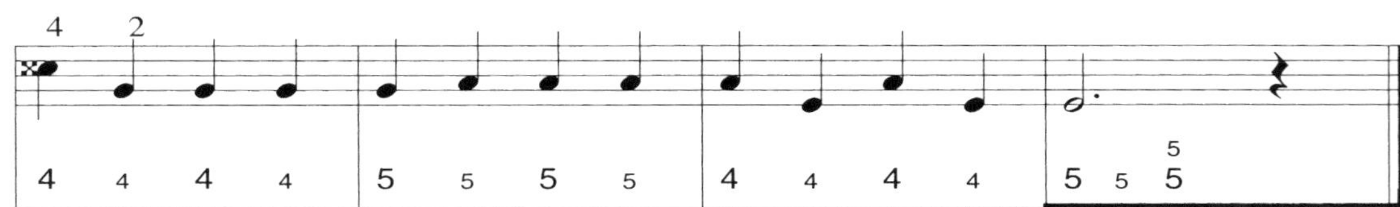

Hopp, hopp, hopp

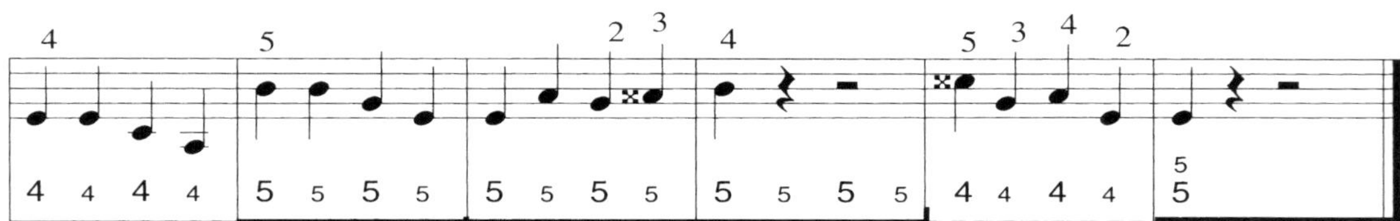

Der Bindebogen

Werden verschiedene Noten durch einen Bogen verbunden, nennt man diesen Bindebogen.Der Bindebogen zeigt an, wo die Noten aneinander gebunden werden.

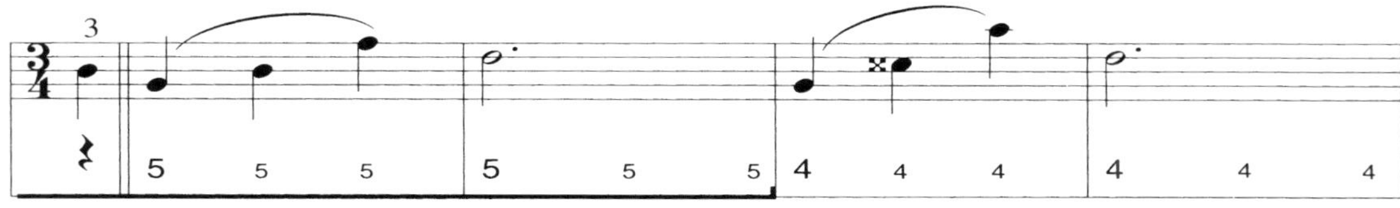

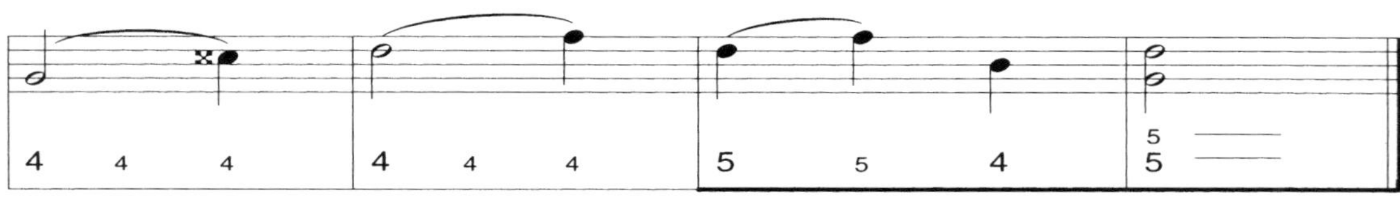

Artikulationszeichen

(Musikalische Spielarten)

Staccato

Noten, welche mit Punkten darüber oder darunter gekennzeichnet sind, sollen besonders kurz gespielt werden. Dies nennt man „ staccato“ .

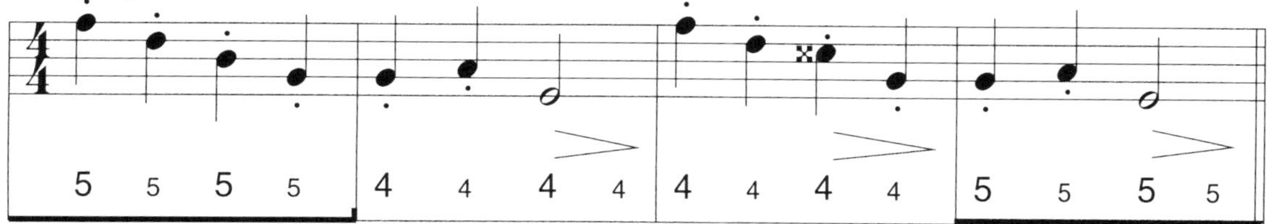

Legato

Sind Noten mit einem Bogen (**Bindebogen**) gekennzeichnet, sollen die Töne ohne Lücke aneinander gebunden werden. Dies nennt man „legato“.

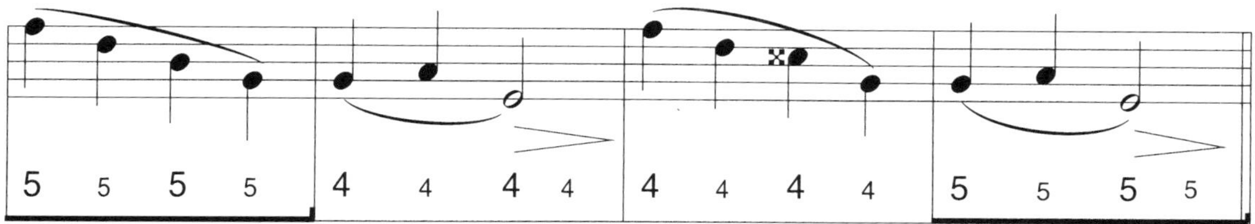

Portato

Die Noten, welche mit Portato-Zeichen (Striche) versehen sind, müssen breit gespielt werden.

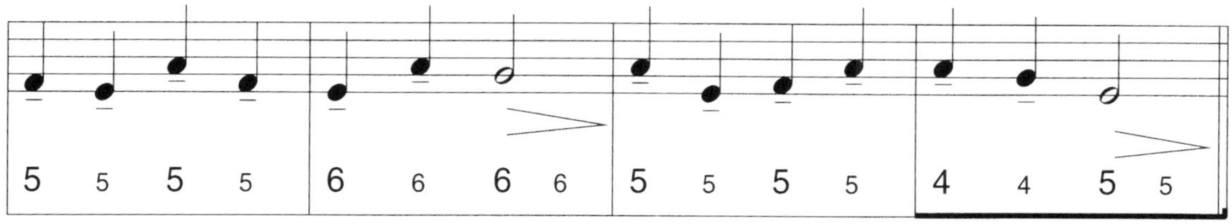

Phrasierungsbogen

Phrasierungsbogen dürfen nicht mit dem Legatobogen verwechselt werden. Die Phrasierungsbogen ermöglichen, ein Musikstück in bestimmte Abschnitte einzuteilen. (Einatmen, Spannung und Entspannung) .

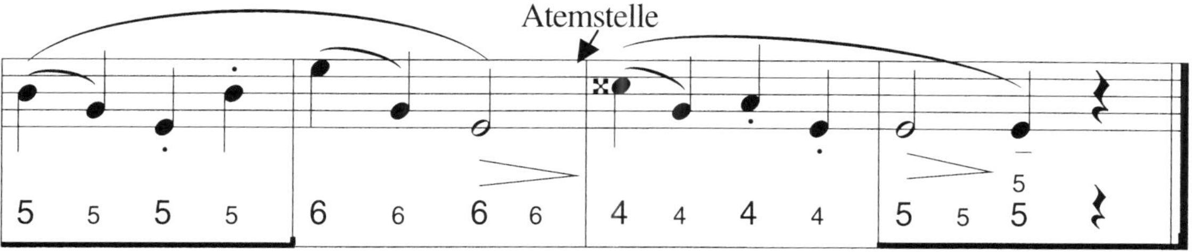

Sunntigsfährtli

Marsch

Ruedi Wachter

Übungstip: Plaziere die Finger auf den Knöpfen und versuche die Hand möglichst nahe auf der Tastatur zu halten.

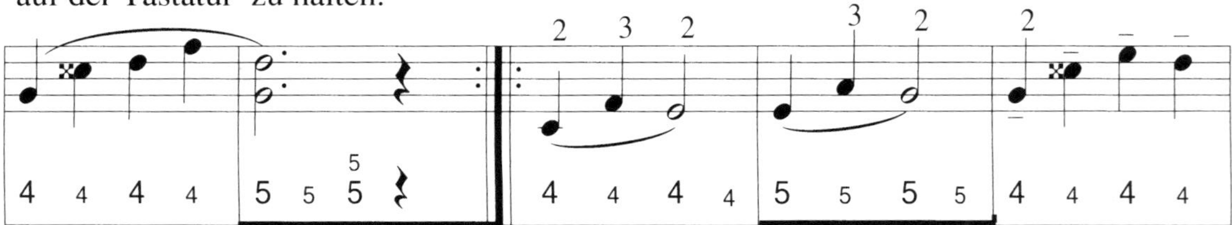

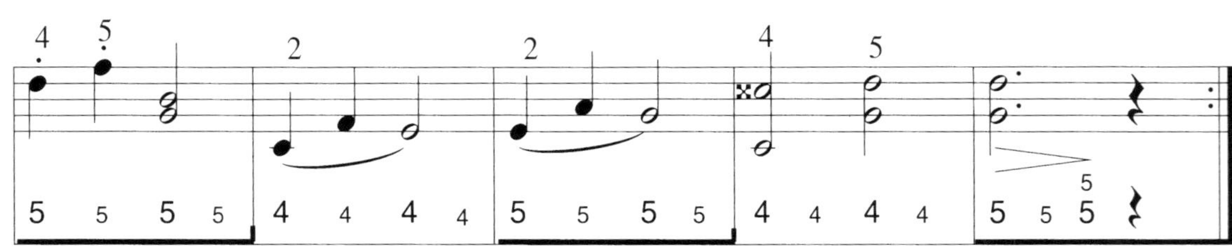

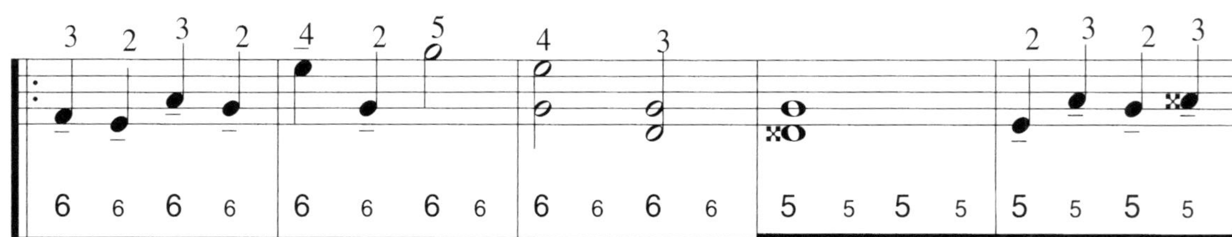

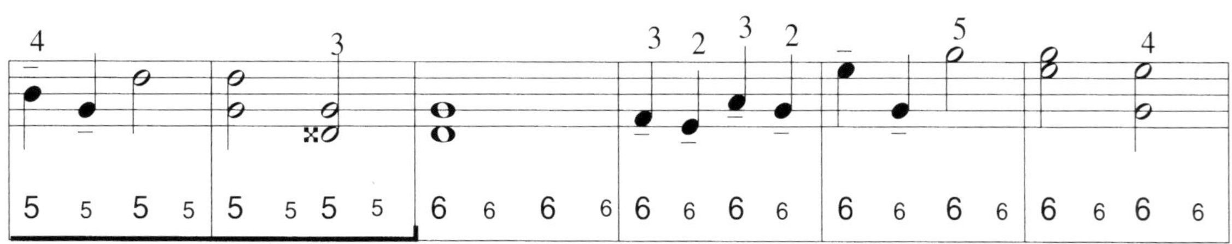

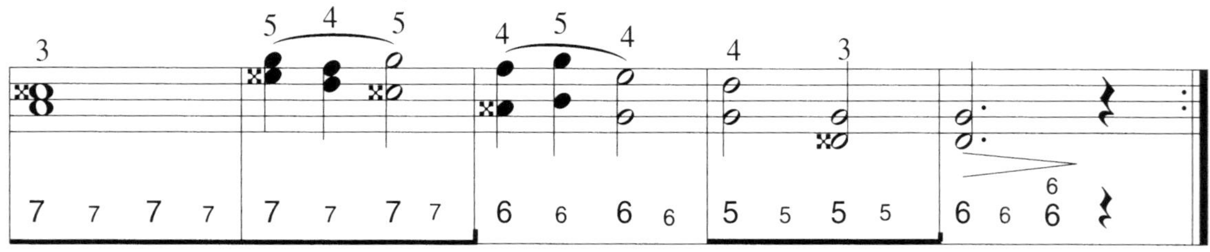

Da Capo /Dal Segno

D.C. / da capo = Wiederholung von Anfang
D.C. al Fine / da capo al Fine = Wiederholung von Anfang bis Fine (Ende)
D.S. / dal segno = Wiederholung vom Zeichen
D.S. / dal segno al Fine = Wiederholung vom Zeichen bis Fine
D.S. al 𝄌 - 𝄌 = Wiederholung vom Zeichen bis Kopfzeichen, dann beim zweiten Kopfzeichen weiter.

Segno = 𝄋 Kopfzeichen = 𝄌

Uf em Rollbrett

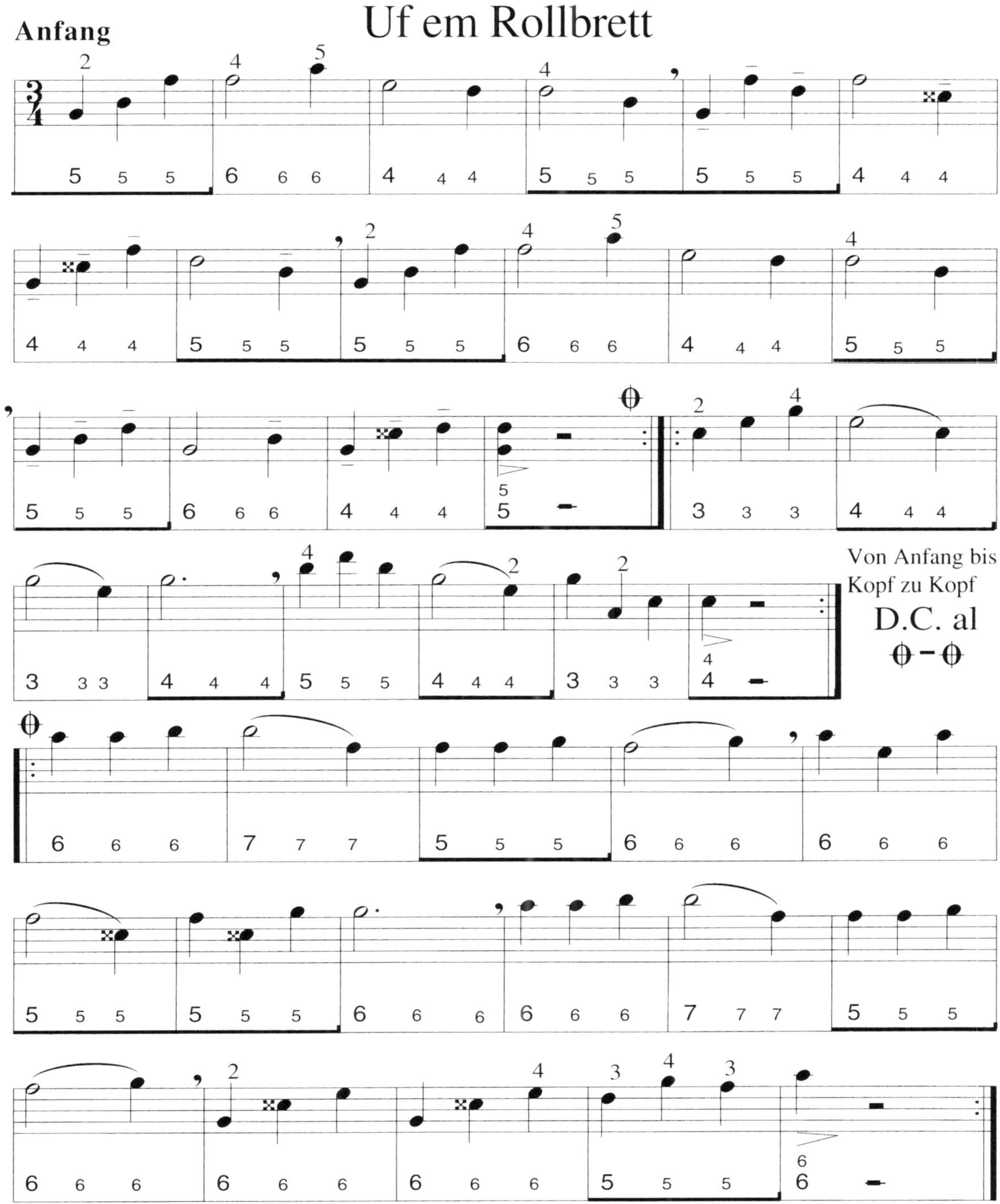

Reisefieber

Gemütliches Spiel

Ländler

Ruedi Wachter

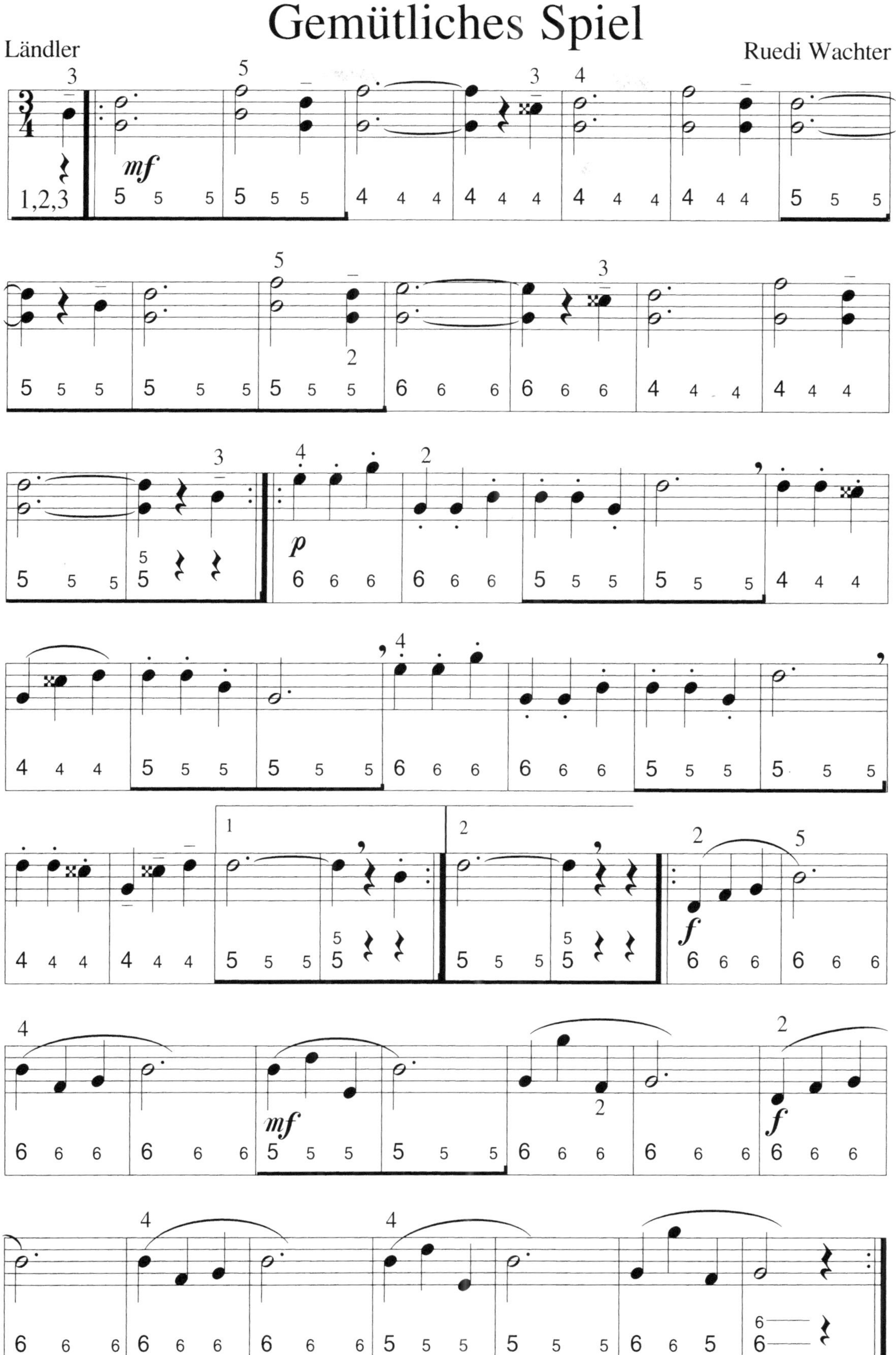

Die Achtelnoten

Teilt man eine Viertelnote in zwei gleiche Teile, so entstehen Achtelnoten.

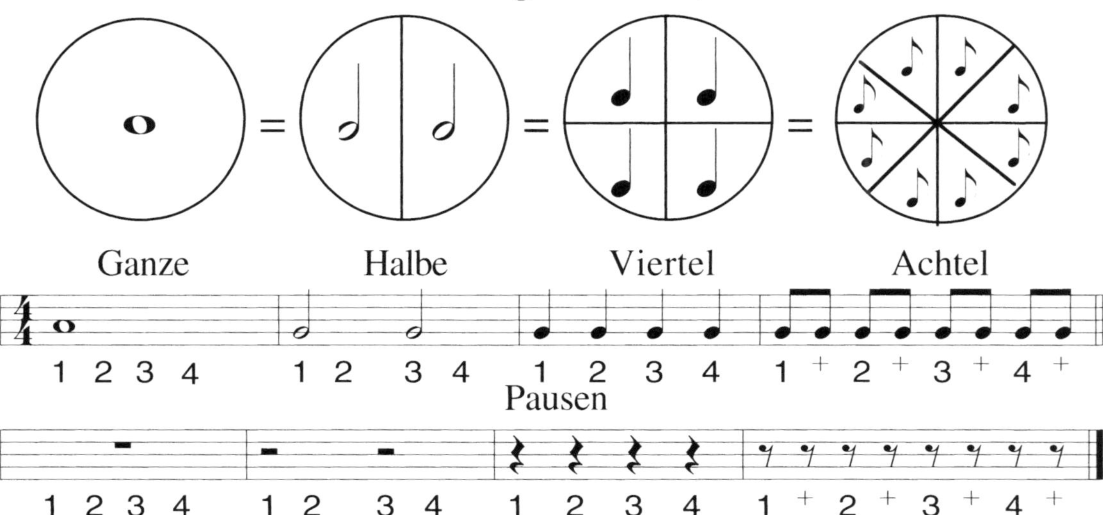

Ein gleichmässiges Bewegen des Fusses ermöglicht, den Rhythmus genau einzuhalten. Nur so schnell spielen, dass die Bewegungen beobachtet werden können. Das Klopfen ist nur solange nötig, bis es zum Spielen ausgeführt werden kann. Auch hier gilt folgende Regel: **„Wer langsam übt, lernt schnell."**

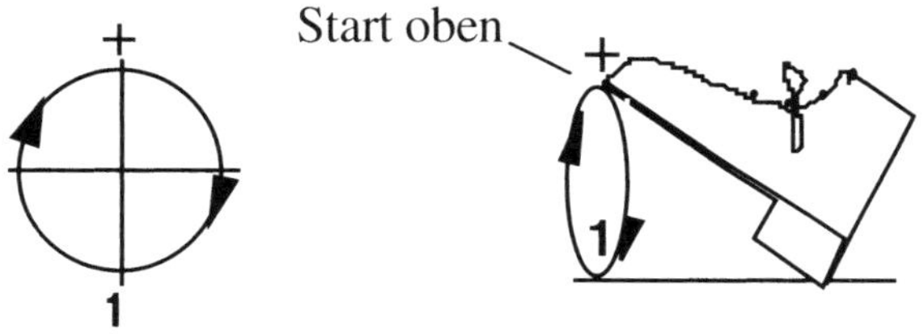

Start oben

Es Buurebüebli

Es-Dur

Volkslied

Döt äne am Bärgli

B-Dur

Volkslied

Die punktierte Viertelnote

Ein Punkt hinter einer Note verlängert diese um die Hälfte ihres Werte

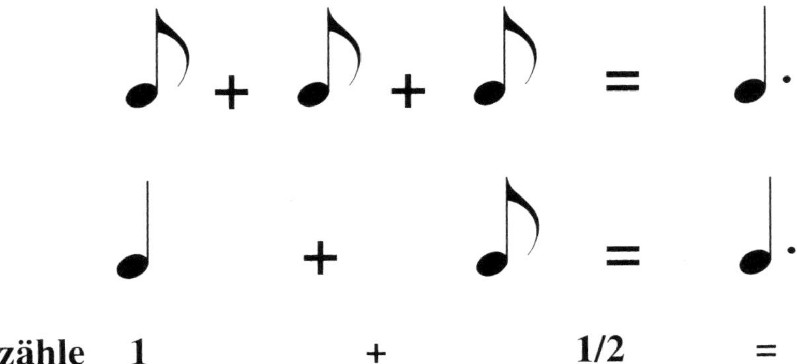

Punktierte Viertel = Dreiachtelnote

Die punktierte Viertelnote im 3/4 Takt

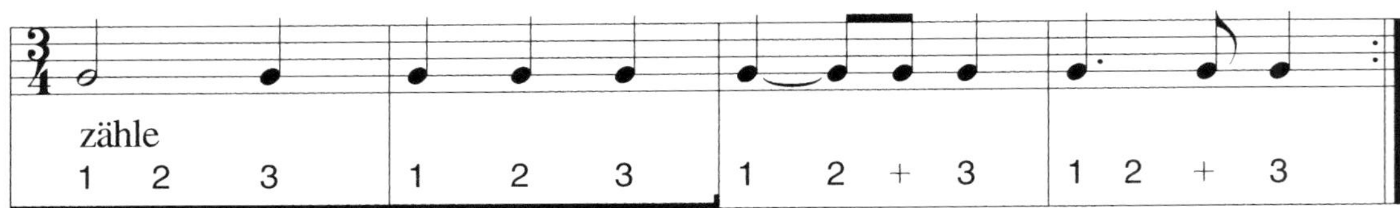

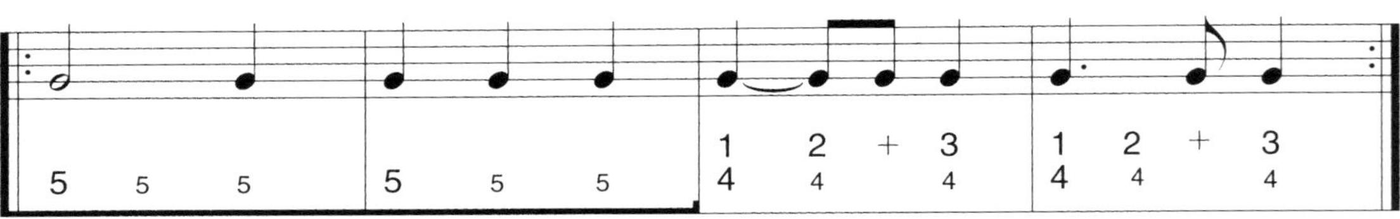

Die punktierte Viertelnote im 4/4 Takt

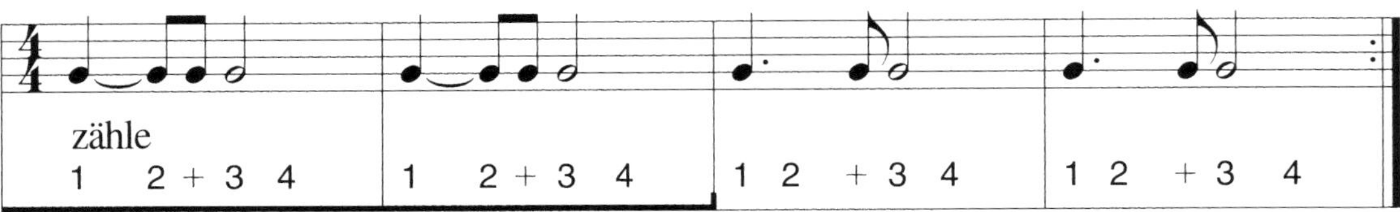

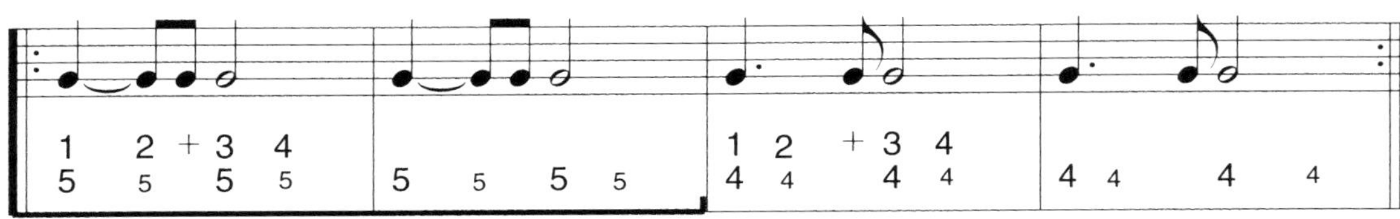

Oh Susanna

Amerikanisches Volkslied

Durs Oberland

Die Fermate 𝄐 (Haltezeichen): Der Ton unter oder über einer Fermate wird länger ausgehalten. Gehe dabei nach deinem Gefühl.

Volkslied

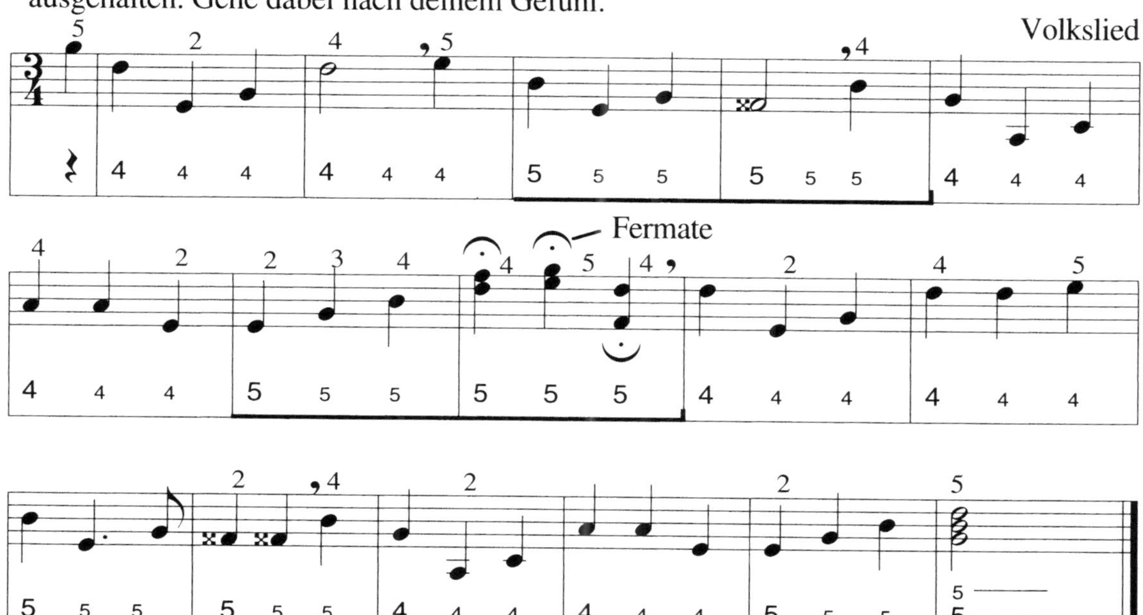

Die Sechzehntel

Die Sechzehntel - Note ist wertmässig die Hälfte einer Achtelnote. Die Sechzehntel - Note wird mit zwei Balken oder Fähnchen bezeichnet.

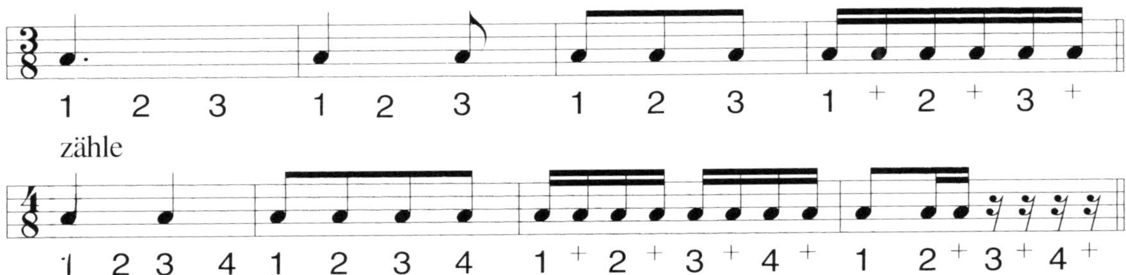

Punktierte Achtel

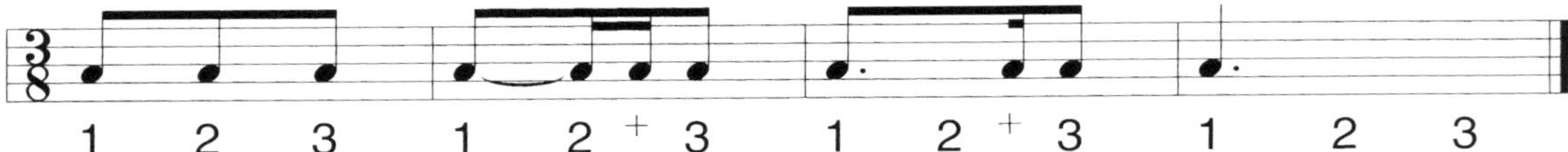

Spiele die Übungen zuerst mit Auszählen und später mit Ausklopfen, damit die Töne rhythmisch einwandfrei plaziert sind.

Heissa Kathreinerle

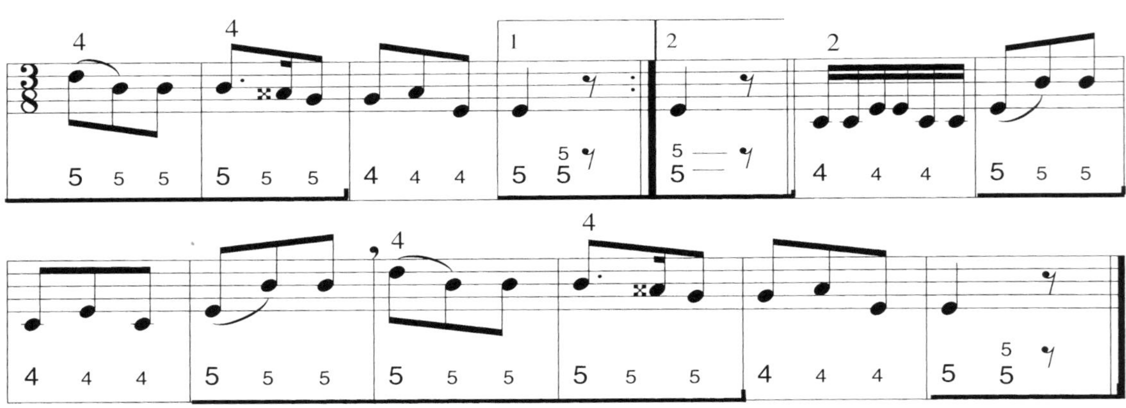

Es wott es Fraueli

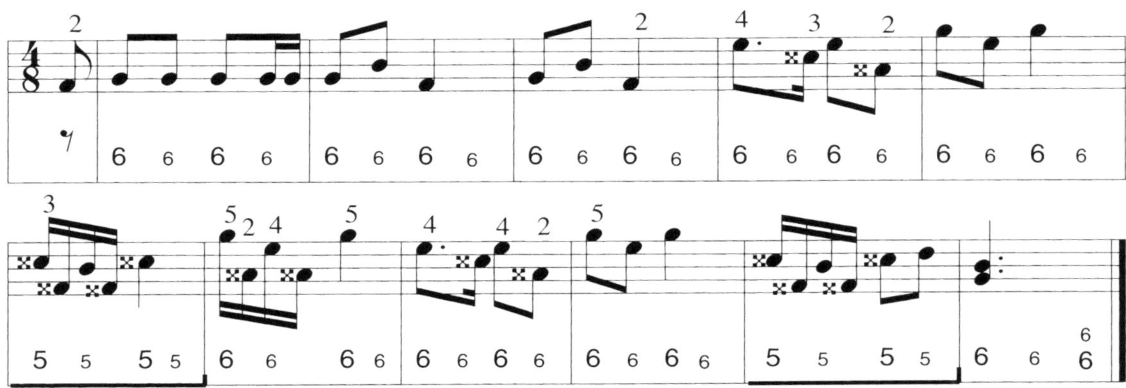

Nöd Pfuusä

Übungstip: Schwerere Abschnitte in einem Musikstück, z.B. Schlüsse, sollen aufgeteilt geübt werden. Die Melodiestelle wird zuerst alleine langsam gespielt. Dabei ist darauf zu achten, dass die Finger wenn möglich liegen bleiben bis die neuen Töne gefunden sind.

Polka

Ruedi Wachter

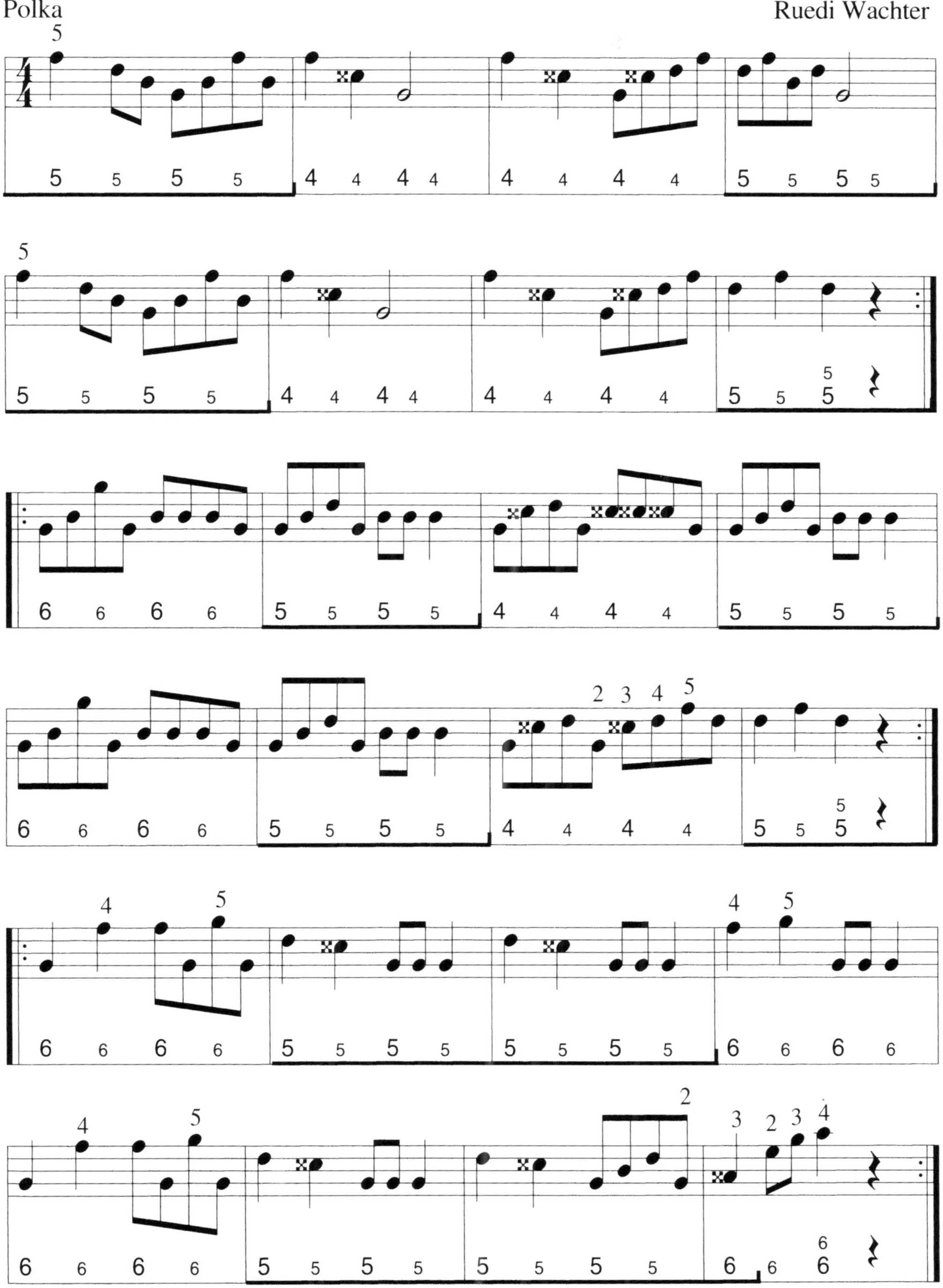

Es-, As- und Des-Dur Tonleiter

Alle Dur Tonleitern sind gleich aufgebaut. Zwischen dem III.-IV. und VII.-VIII. Ton (Stufe) ist immer ein Halbtonschritt. Die Dur Tonleiter ist auf Seite 49 beschrieben. Spiele regelmässig die Tonleitern legato = gebunden und staccato = kurz.

Die Es-Dur Tonleiter im Stossen

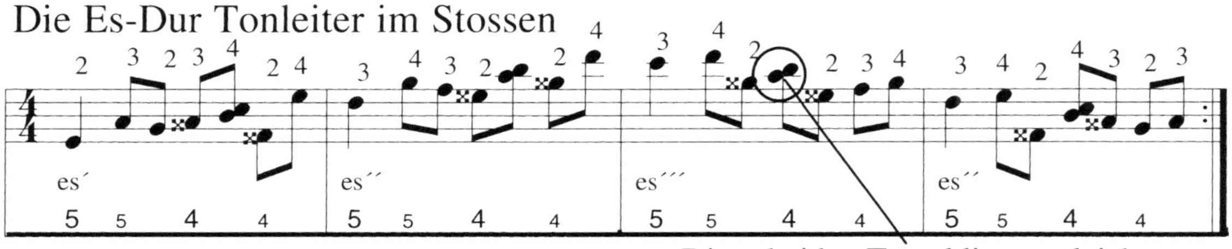

Diese beiden Töne klingen gleich.

Die Es-Dur Tonleiter im Ziehen

Die As-Dur Tonleiter im Ziehen

Die As-Dur Tonleiter im Stossen

Die Des-Dur Tonleiter im Ziehen

Übung in Des-Dur im Stossen

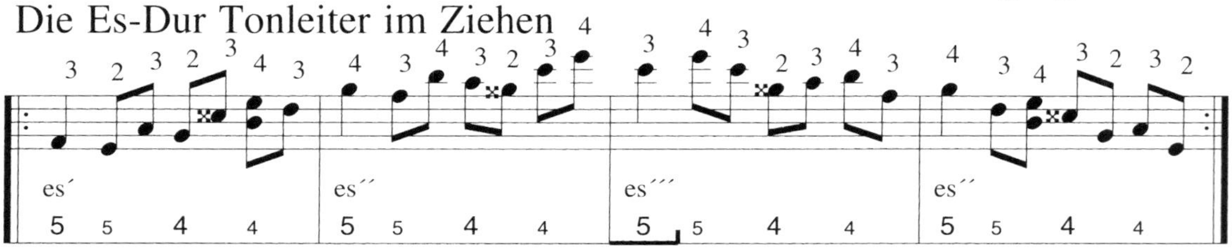

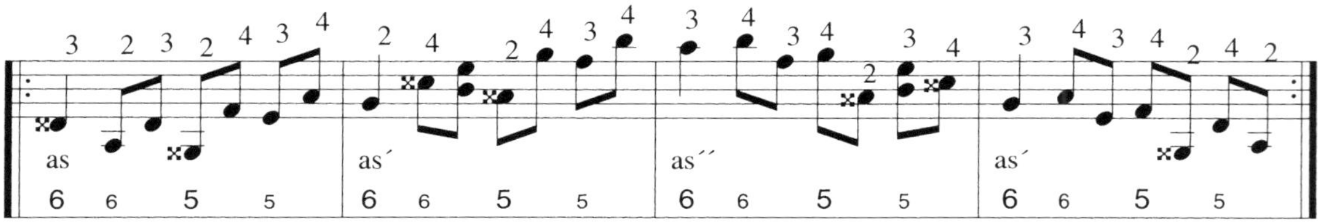

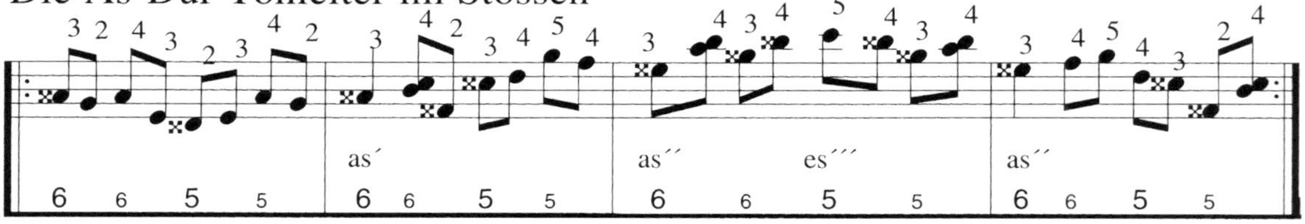

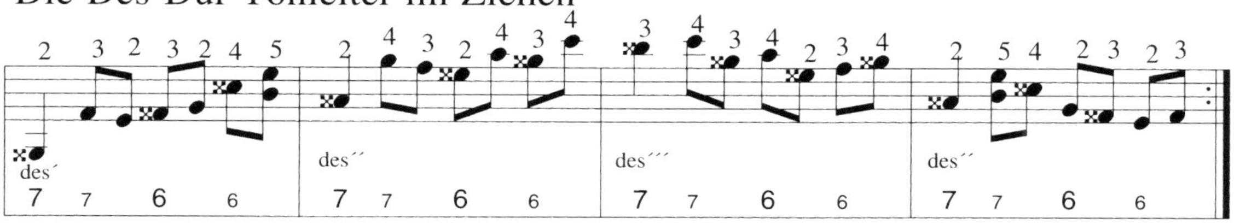

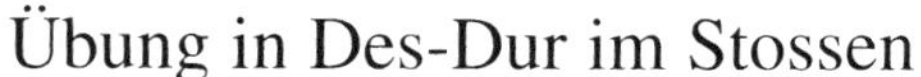

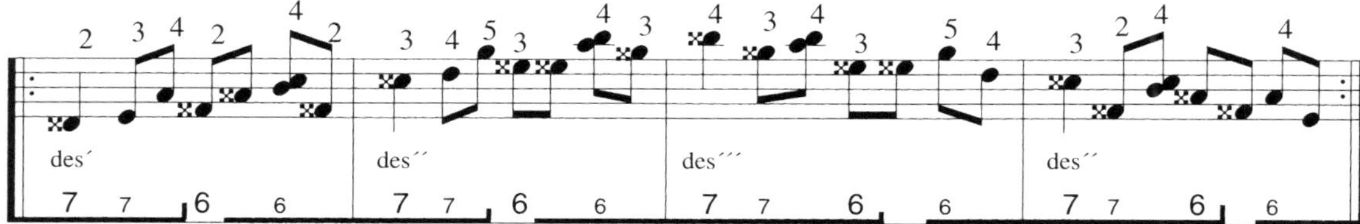

Morgenstimmung

Ländler

Ruedi Wachter

Am Bodensee

Polka

Ruedi Wachter

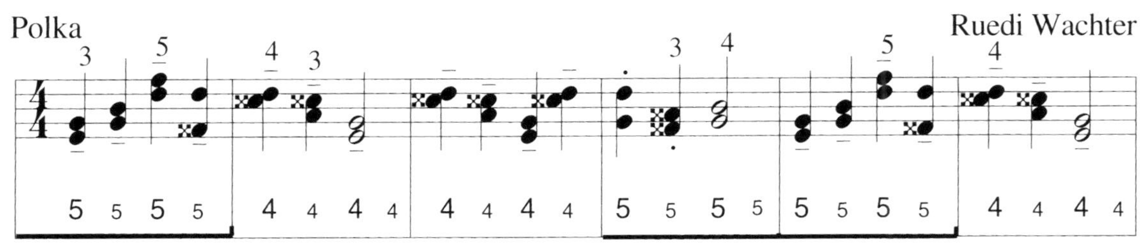

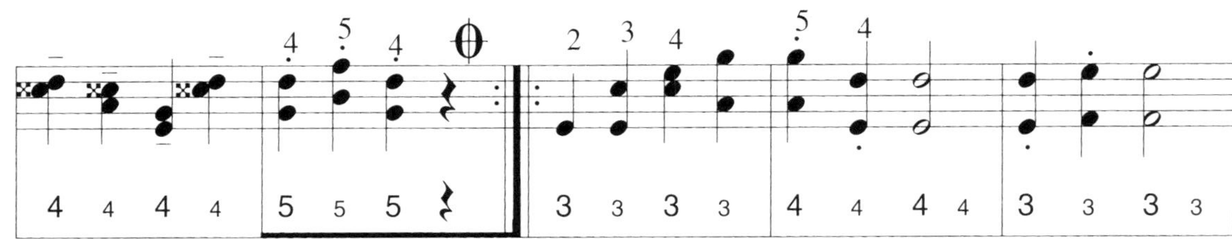

D.C.al = Da Capo al = Von Anfang bis Kopfzeichen spielen, dann Sprung zum 2. Kopfzeichen ausführen und bis zum Ende spielen. Φ =Kopfzeichen

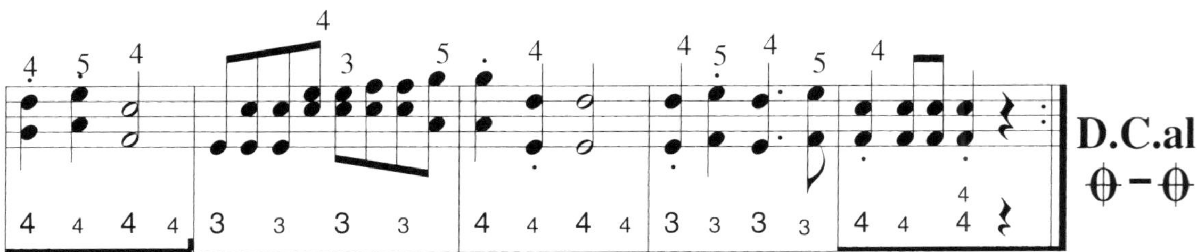

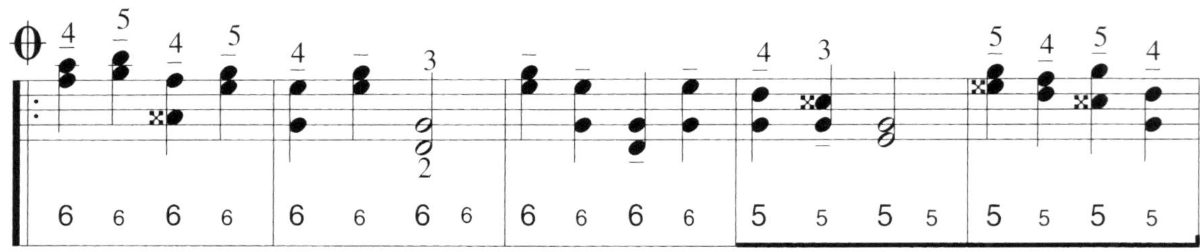

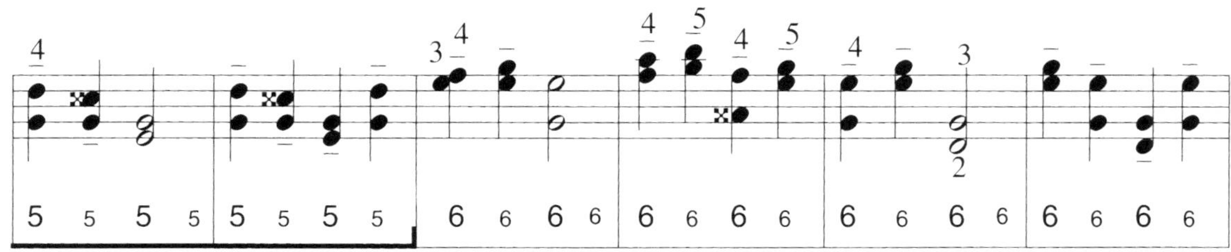

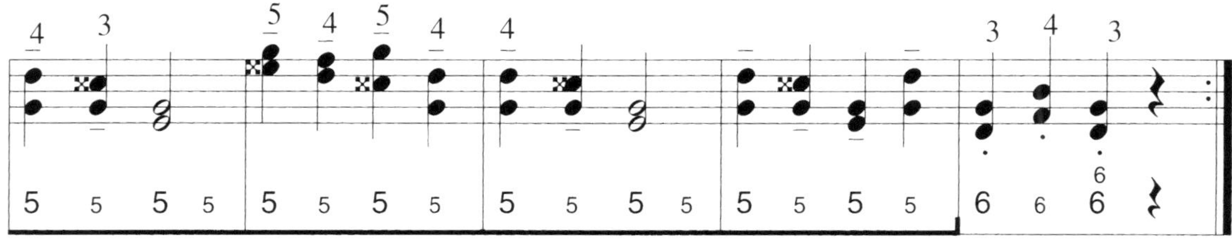

Älplerchilbi

Ländler

Karl Grossmann

Der Quintenzirkel

Die Bass-Seite vom Schwyzerörgeli ist nach dem Quintenzirkel aufgebaut. Der Quinten- oder Quartenzirkel zeigt uns die Reihenfolge und Verwandschaften der Tonarten an (äussere Beschriftung: 12 Durbezeichnungen, innere Beschriftung: 12 parallele Mollbezeichnungen). Es lohnt sich, die Bässe und den Quintenzirkel auswendig zu lernen, weil wir später auswendig spielen und begleiten möchten. N.B. (Quarte = 4.Ton, Quinte = 5.Ton)

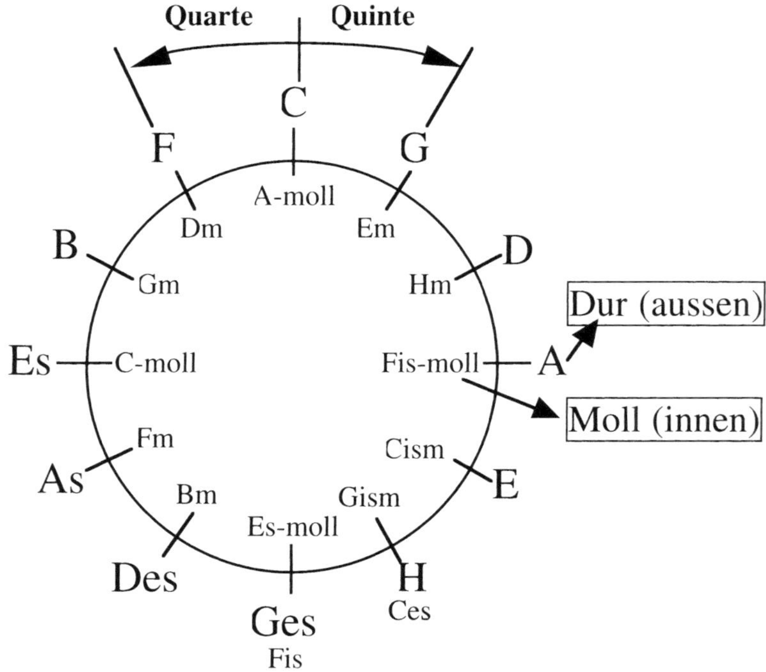

In der tonalen Musik heissen die beiden Klanggeschlechter Dur und Moll . Wir empfinden Dur als hell oder fröhlich und Moll als dunkel oder melancholisch.

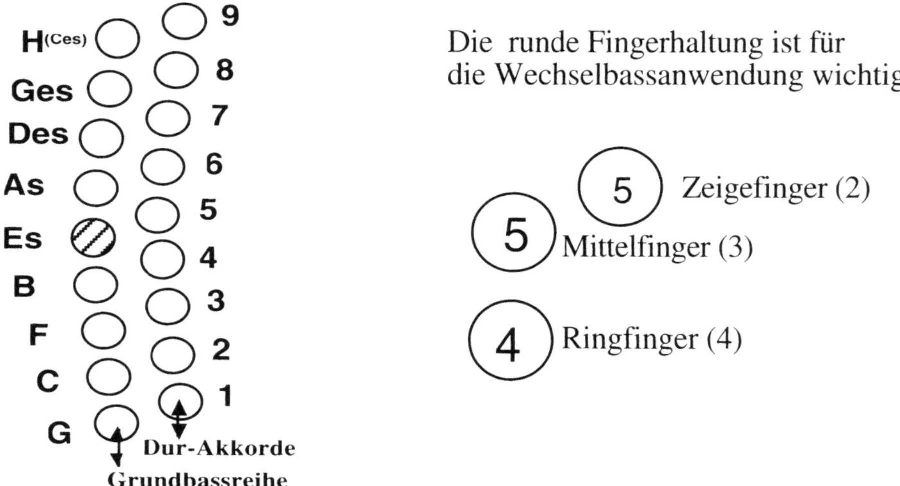

Die Anordnung der Bässe (der Grundbassreihe) entspricht jener des Quintenzirkels.

Akkorde

Akkorde auf den verschiedenen Stufen der C-Dur Tonleiter

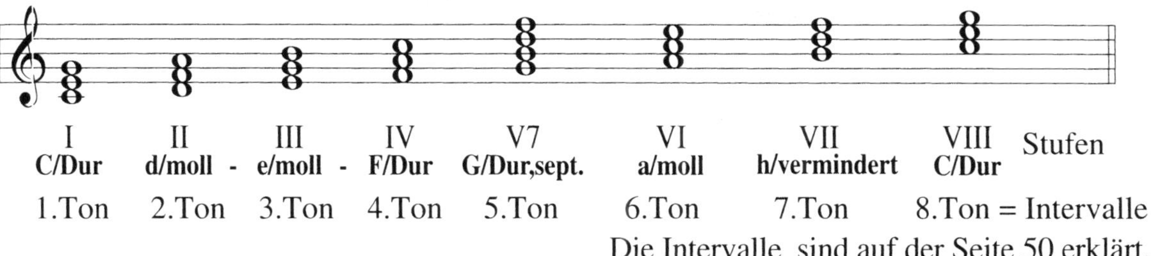

Die Intervalle sind auf der Seite 50 erklärt.

Unter **Akkord** versteht man den Zusammenklang von mindestens drei Tönen. Die Dreiklänge in der Grundstellung entstehen durch Übereinanderschichten von Terzen, d.h. eine Terz ist ein Intervall (Terz = 3.Ton). Es können auf allen Stufen der Dur-Moll-Tonleitern Dreiklänge gebildet werden.
Die Hauptdreiklänge in Dur und Moll sind:
I. Stufe (Tonika), IV. Stufe (Subdominante), V. Stufe (Dominante).

Der Wechselbass

Wenn wir den Quintenzirkel oder die Basstastatur genau betrachten stellen wir fest, dass die Hauptdreiklänge (IV.Stufe, I.Stufe, V.Stufe) immer nebeneinander liegen.
z.B. in Es - Dur; As = IV.Stufe, Es = I.Stufe, B = V.Stufe
oder in B - Dur; Es = IV.Stufe, B = I.Stufe, F = V.Stufe.

Die einfache Wechselbassanwendung kann folgendermassen angewendet werden:
Bei der I.Stufe spielen wir zuerst den Grundbass, dann den Wechselbass.
Bei der V.Stufe spielen wir zuerst den Wechselbass, dann den Grundbass.
Bei der IV.Stufe spielen wir nur den Grundbass oder zuerst den Grundbass und dann den Wechselbass. Im Zweifel spielen wir den Grundbass.

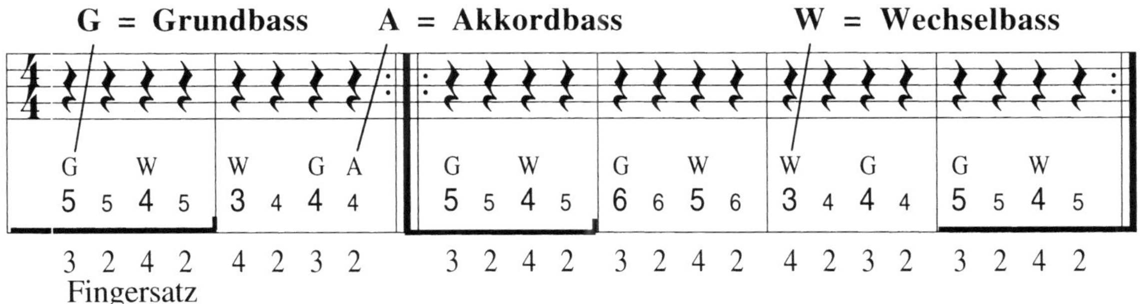

Es = I.Stufe As = IV.Stufe B = V.Stufe Bassabgang

G A 5 5 5
W A 4 5 5
G 6 6 6
W 5 6 6
W 3 4 4
G 4 4 4
5 4 1
5 5

3 2 2 4 2 2 3 2 2 4 2 2 4 2 2 3 2 2 3 4 5 3/2

Sternenhimmel

Marsch

Ruedi Wachter

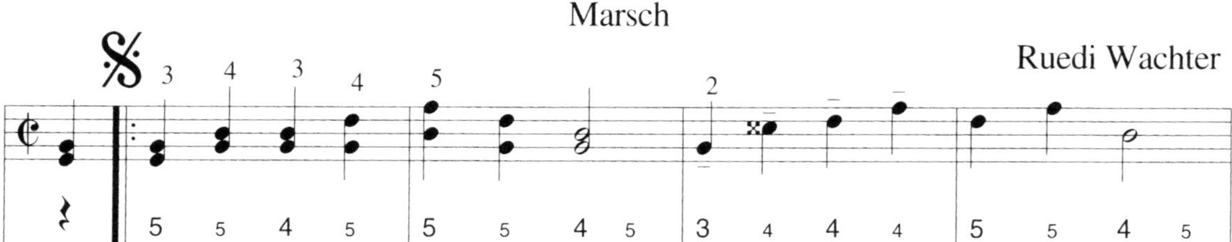

1. Teil in Es-Dur

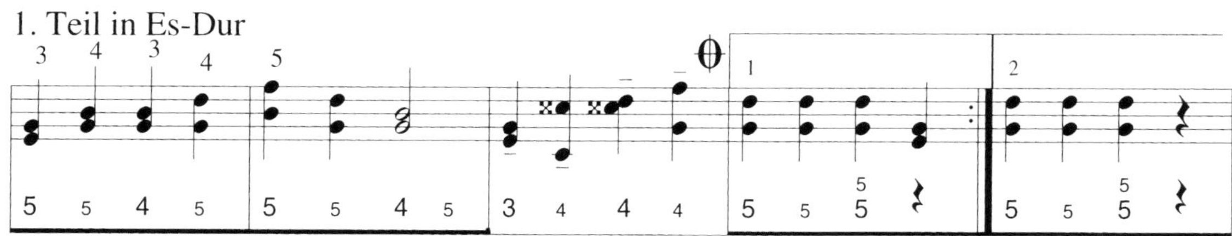

2. Teil in B-Dur

Übungstip: Spiele das Stück zuerst ohne Wechselbass, das heisst immer den Grundbass.

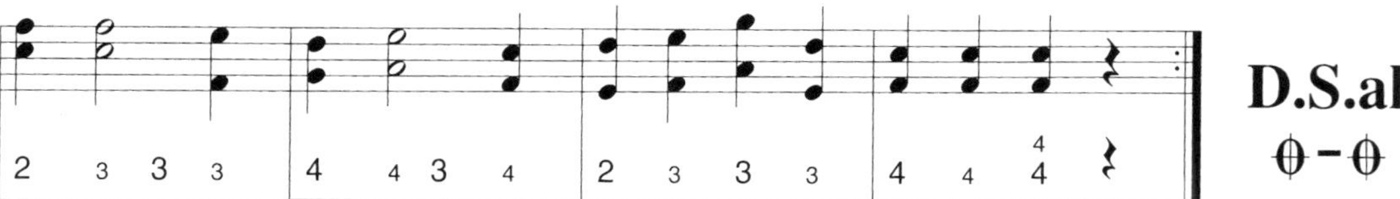

D.S.al

3. Teil (Trio) in As-Dur

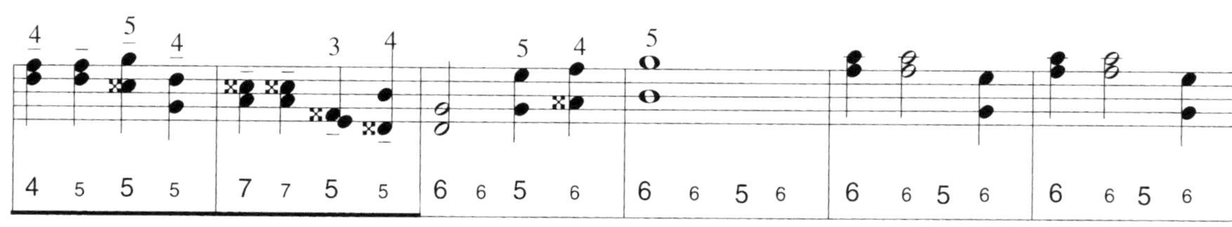

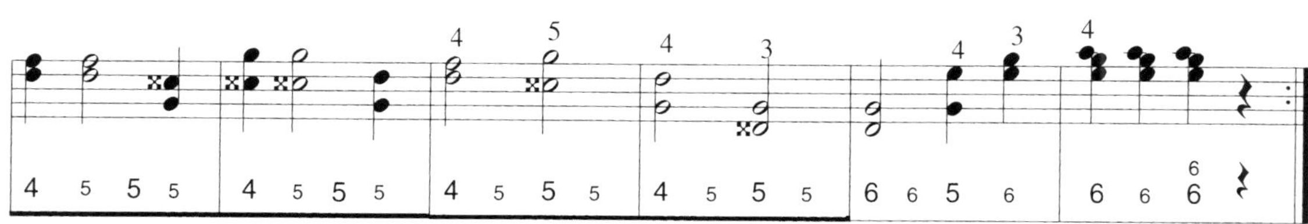

Rhythmische Übersichtstabelle

Die Triole

Eine Triole ist eine Gruppe von drei gleichwertigen Noten, die im Zeitraum einer Zählzeit gespielt werden. Die Triole wird durch eine 3 über der betreffenden Notengruppe kenntlich gemacht.

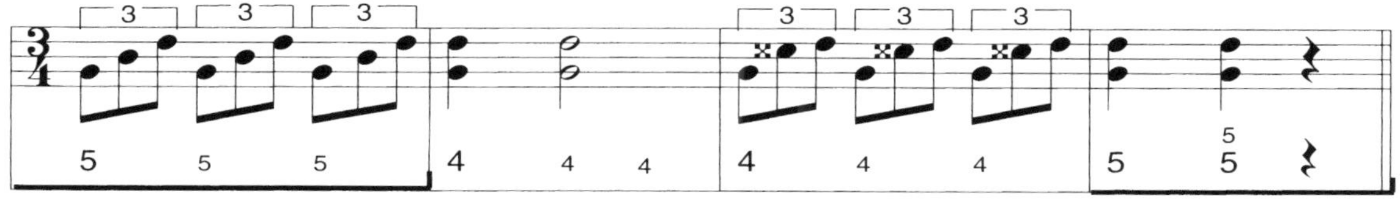

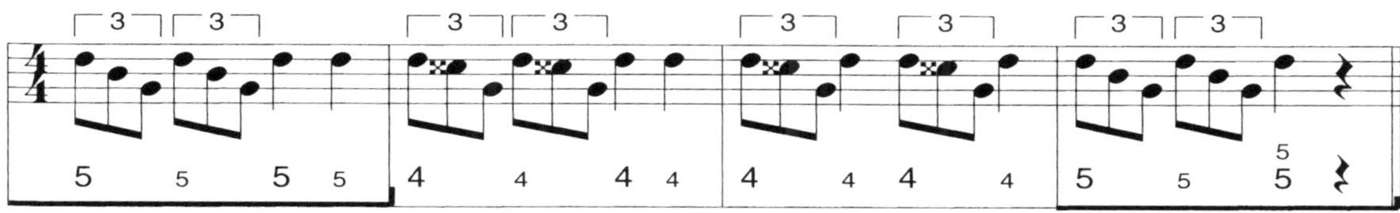

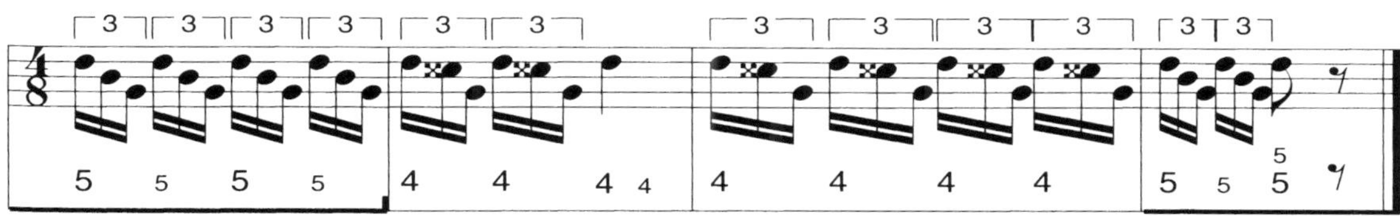

Sali Guschti

Musikstücke können in verschieden Takten geschrieben sein, z.B. hier im 2/4 - Takt wären je nach Betonung die Taktarten 2/2 , 4/4 oder 4/8 möglich.

Schottisch

Ruedi Wachter

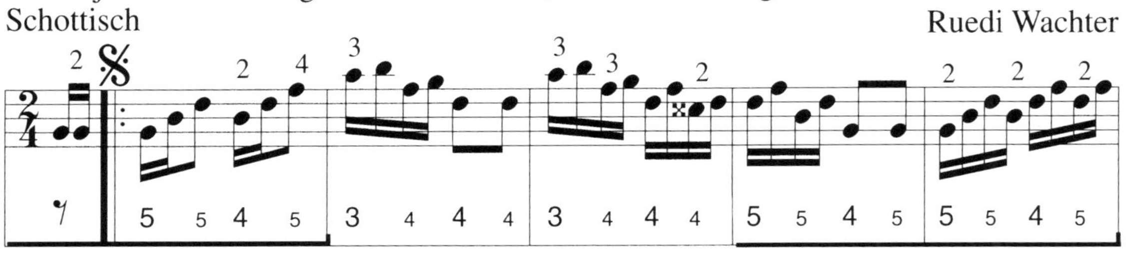

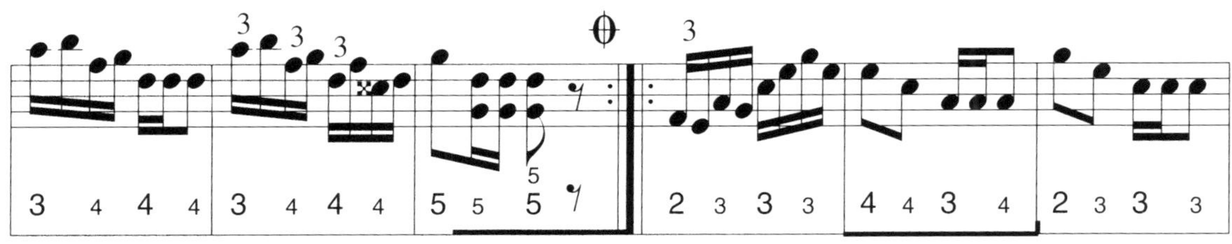

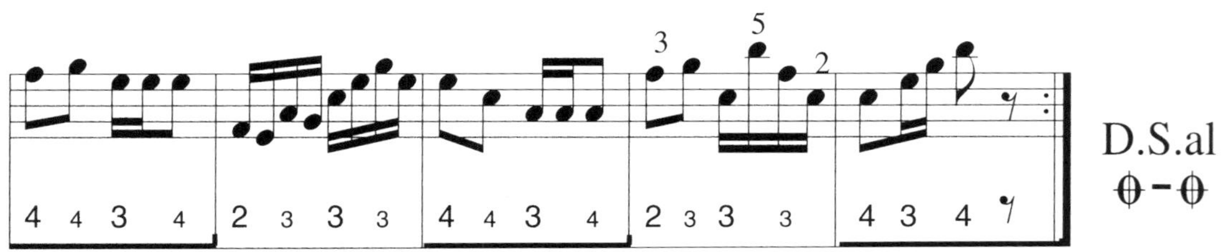

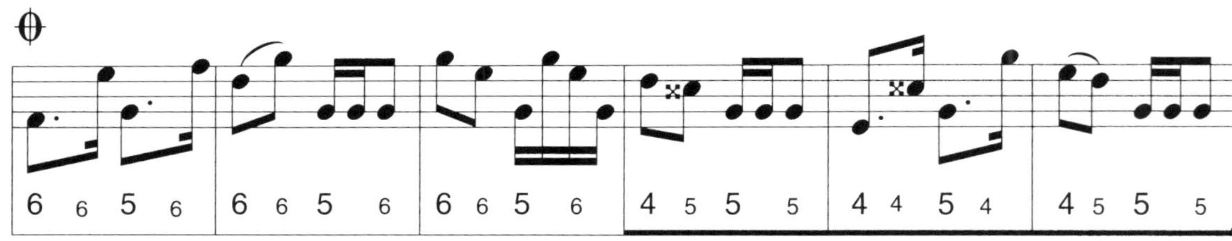

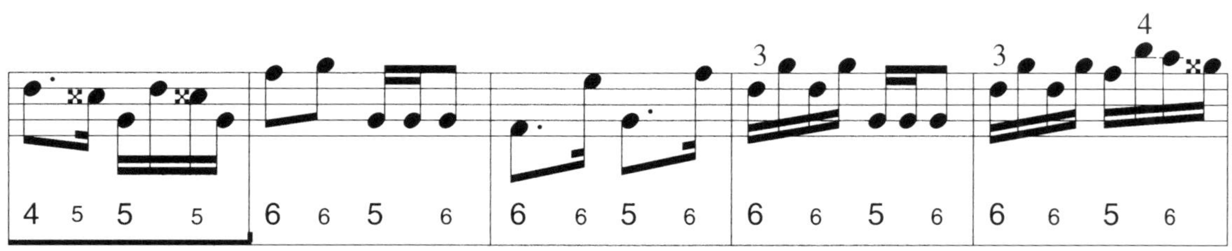

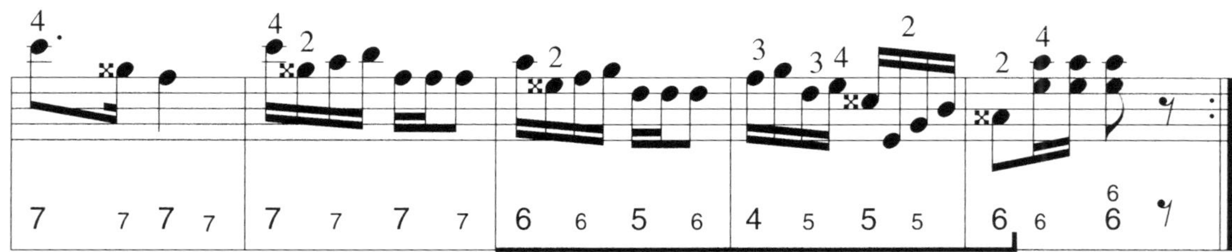

Dur und Moll

Zu jeder Dur-Tonleiter gehört eine Paralell-Molltonleiter. Der Grundton der paralellen Molltonleiter liegt eine kleine Terz (3 Halbtöne) tiefer als die verwandte Dur-Tonleiter. In diesem Beispiel sehen wir die Es-Durtonleiter und die Paralell C-Molltonleiter.

Die Es-Durtonleiter

Die C-Molltonleiter
(harmonisch)

In den Mollabschnitten darf nur der grosse Bass gespielt werden.

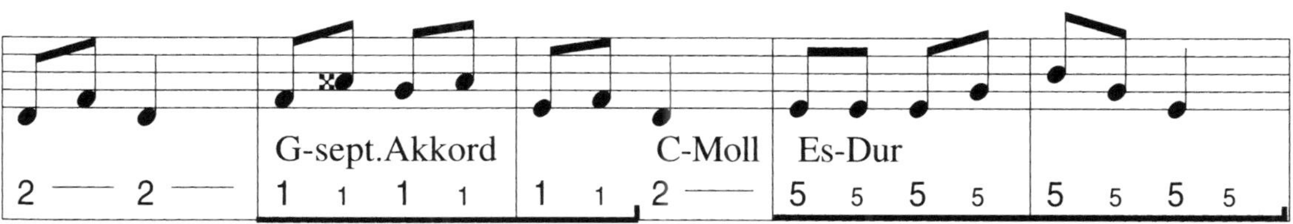

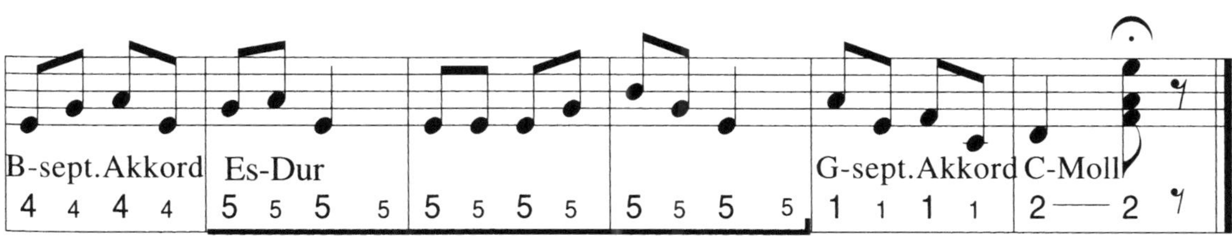

Bim Stossplatz-Sepp

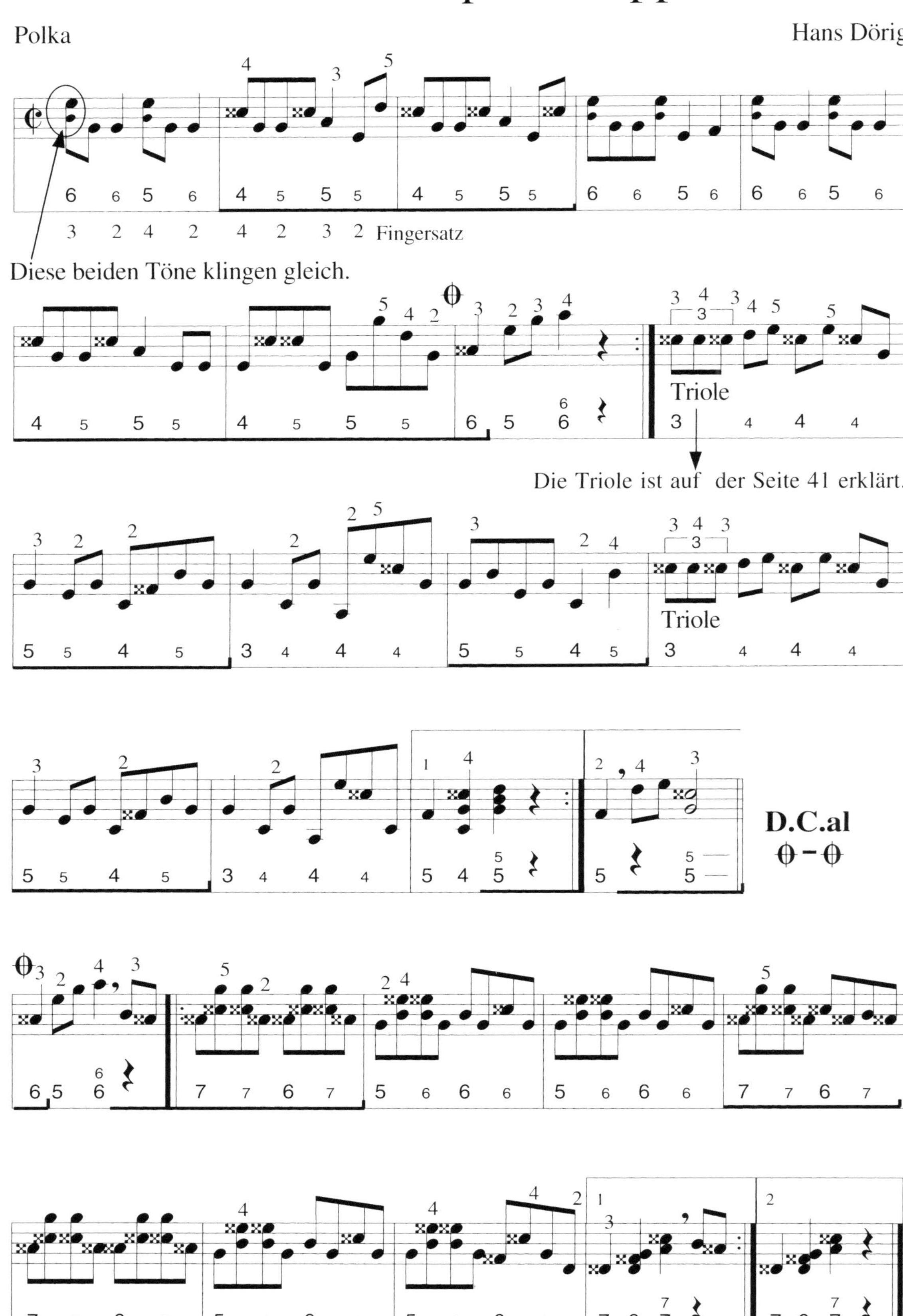

Im Steihüttli

Ländler

Emanuel Strässle

Birewegge-Polka

Traditional

Es-Dur

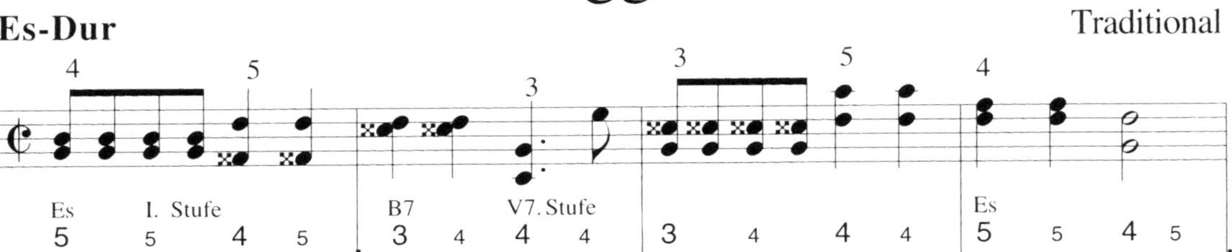

Die Stufenanzeige ist für die Begleiter als Hilfe gedacht.
Die Harmonieanzeige bezieht sich auf B/Es Schwyzerörgeli.

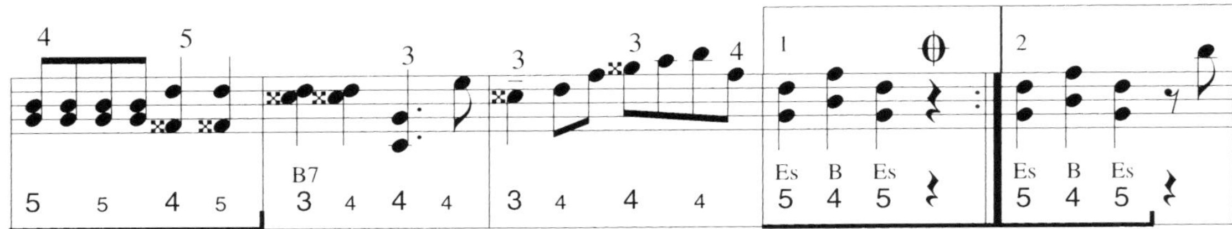

B-Dur

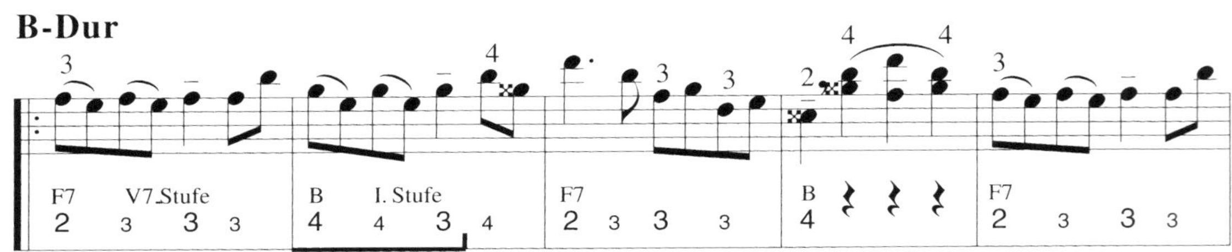

D.C.al

As-Dur

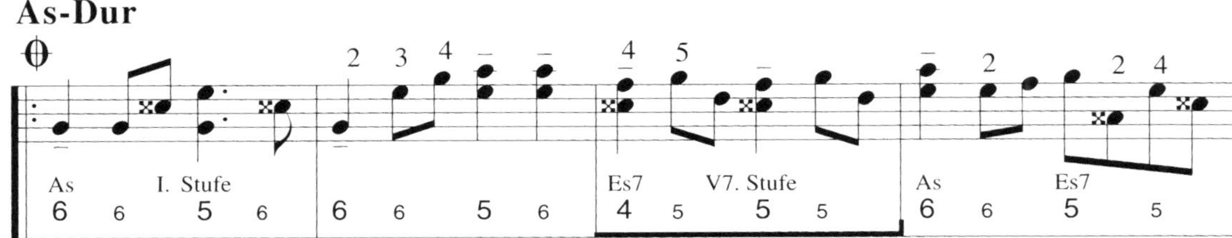

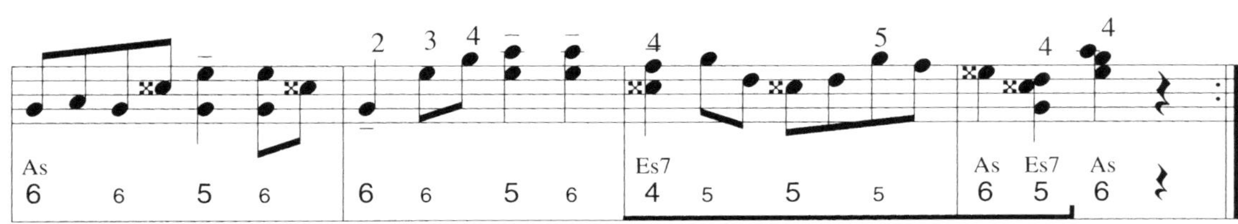

Ferienzeit

Walzer
Ruedi Wachter
D.S.al
2.Variante Stossen
2.Variante Stossen

Die chromatische Tonleiter

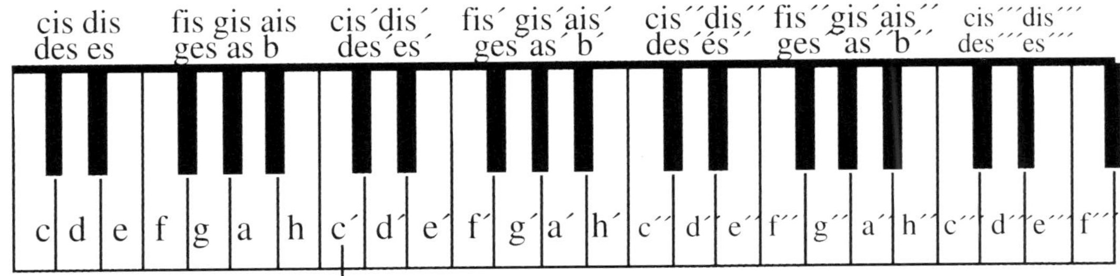

eingestriches c´

Die chromatische Tonleiter besteht aus lauter Halbtonschritten.

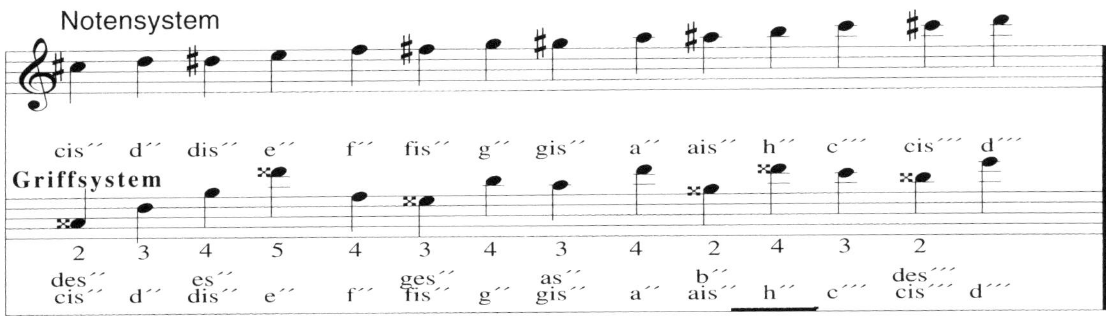

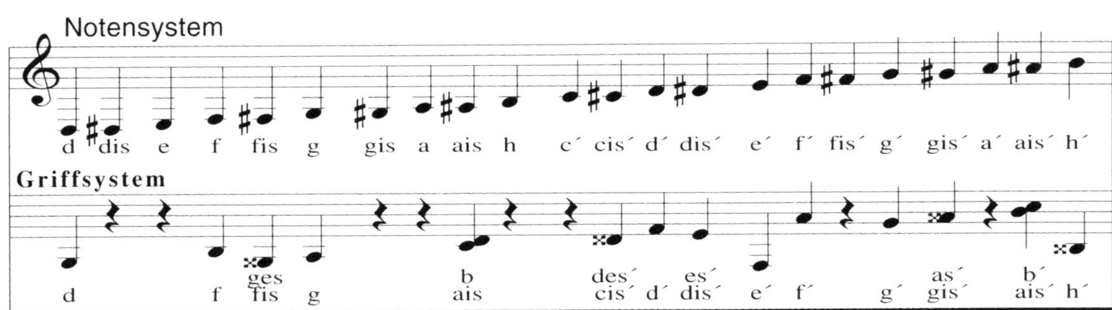

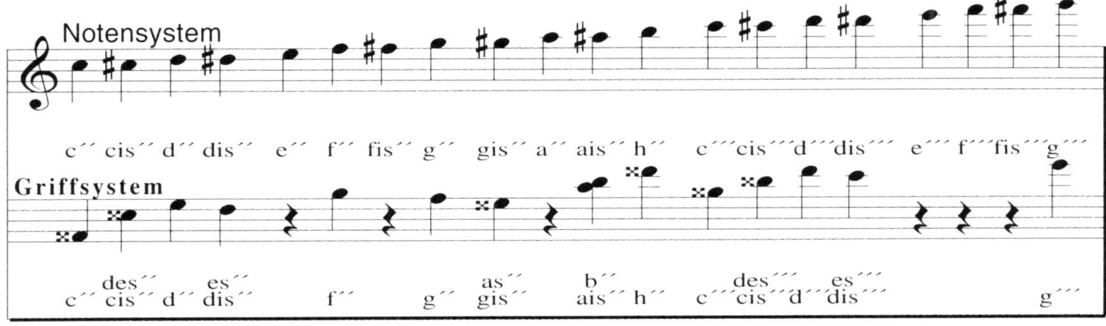

Die Tonleiter

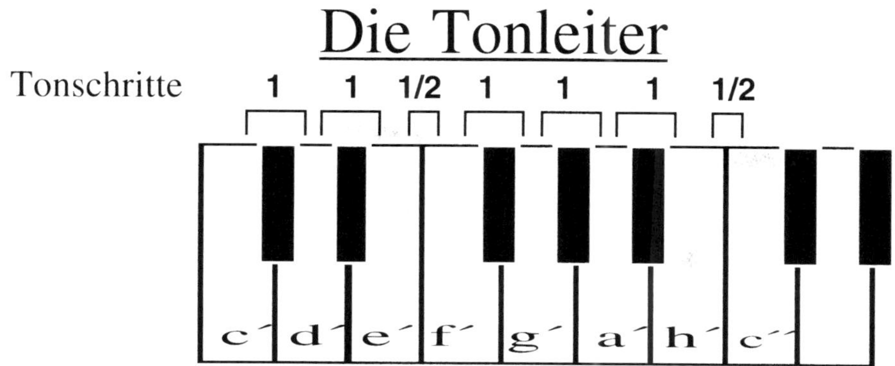

Merke: In Dur besteht zwischen dem III.-IV. und VII.-VIII. Ton (Stufe) immer ein Halbtonschritt. Zwischen den anderen Tönen liegen Ganztonschritte.

Die C-Dur Tonleiter

Die F-Dur Tonleiter

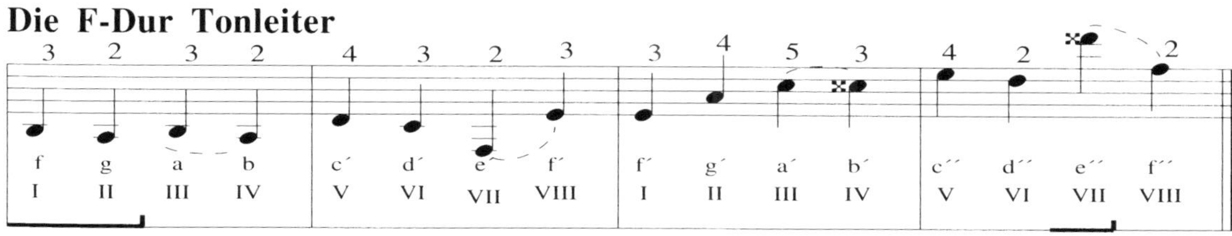

Die B-Dur Tonleiter im Ziehen

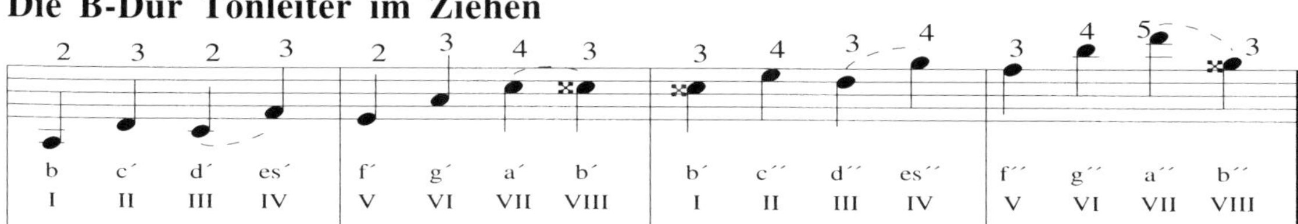

Die B-Dur Tonleiter im Stossen

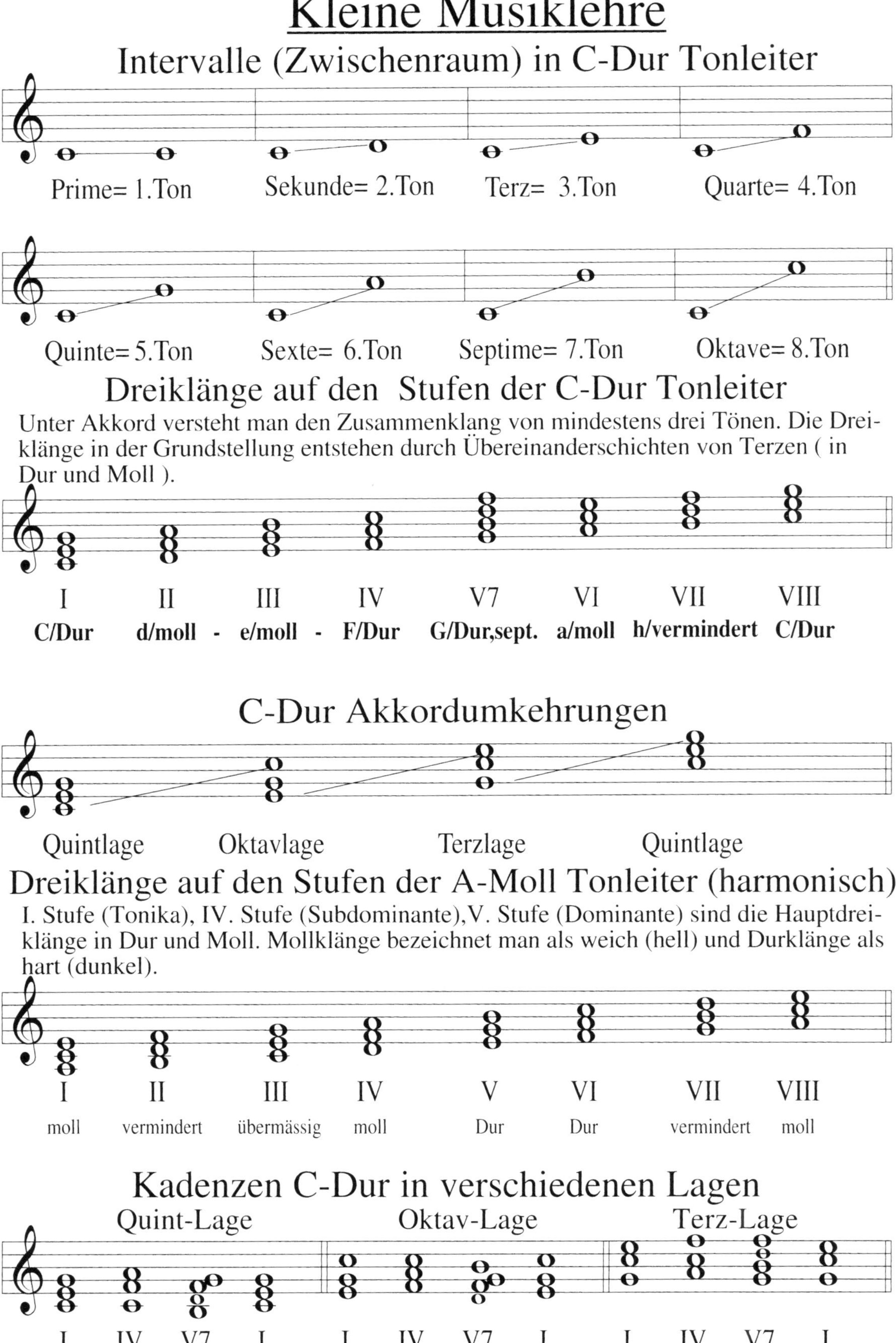
Kleine Musiklehre
Intervalle (Zwischenraum) in C-Dur Tonleiter
Prime= 1.Ton
Sekunde= 2.Ton
Terz= 3.Ton
Quarte= 4.Ton
Quinte= 5.Ton
Sexte= 6.Ton
Septime= 7.Ton
Oktave= 8.Ton
Dreiklänge auf den Stufen der C-Dur Tonleiter
Unter Akkord versteht man den Zusammenklang von mindestens drei Tönen. Die Dreiklänge in der Grundstellung entstehen durch Übereinanderschichten von Terzen (in Dur und Moll).
I II III IV V7 VI VII VIII
C/Dur d/moll - e/moll - F/Dur G/Dur,sept. a/moll h/vermindert C/Dur
C-Dur Akkordumkehrungen
Quintlage
Oktavlage
Terzlage
Quintlage
Dreiklänge auf den Stufen der A-Moll Tonleiter (harmonisch)
I. Stufe (Tonika), IV. Stufe (Subdominante),V. Stufe (Dominante) sind die Hauptdreiklänge in Dur und Moll. Mollklänge bezeichnet man als weich (hell) und Durklänge als hart (dunkel).
I II III IV V VI VII VIII
moll vermindert übermässig moll Dur Dur vermindert moll
Kadenzen C-Dur in verschiedenen Lagen
Quint-Lage
Oktav-Lage
Terz-Lage
I IV V7 I I IV V7 I I IV V7 I
In der V7 Stufe darf die Quinte (der Ton „d“) fehlen

Begleiten in Es-Dur

Übungstip: Zuerst spielen wir häufig die Kadenz und die Übungen in der ersten Linie, damit die Bewegungen automatisch ausgeführt werden können.
Mit zusätzlichem Sprechen der Bezeichnungen (Stufe oder Dur) vertiefen wir die Übungen.

Die Begleitakkorde sollen kurz gespielt werden. Die Musik wird dadurch beschwingter.

2.Übung

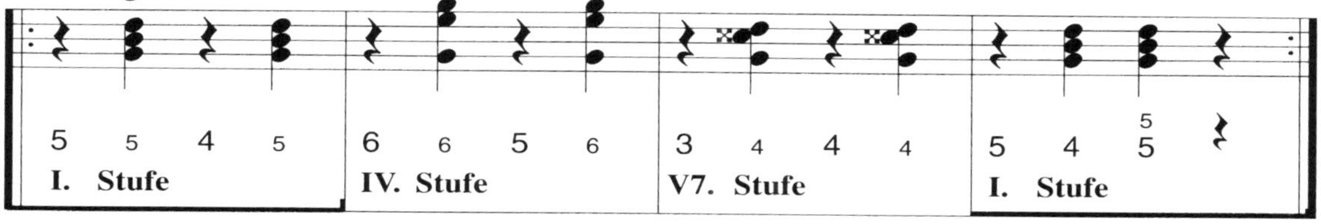

I. Stufe | IV. Stufe | V7. Stufe | I. Stufe

3.Übung

I. Stufe | IV. Stufe | V7. Stufe

4.Übung

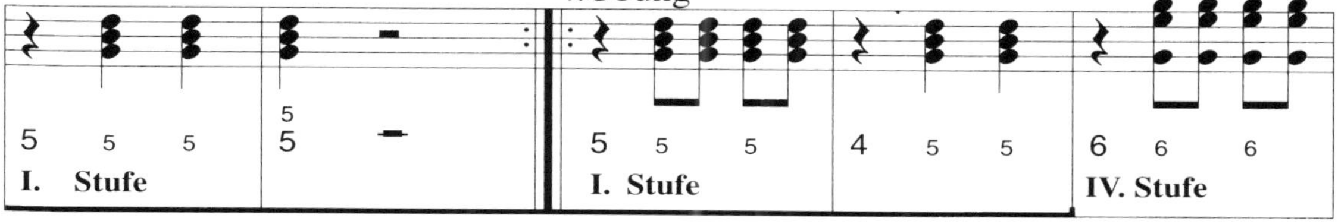

I. Stufe | I. Stufe | IV. Stufe

V7. Stufe | I. Stufe

Schluss mit Bassabgang

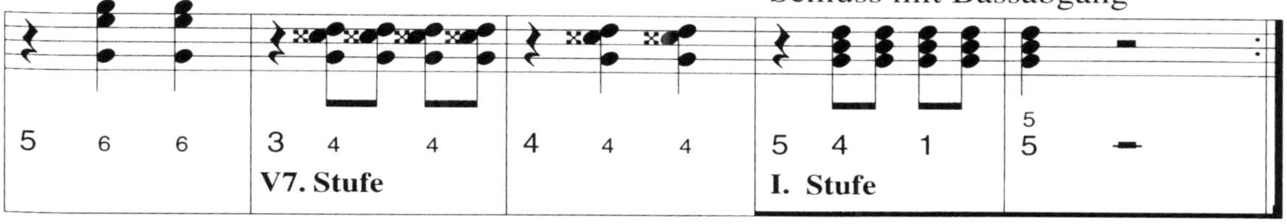

Fingersatz 2 3 5 3+2

Begleiten in As- und B-Dur

Kadenz in As-Dur

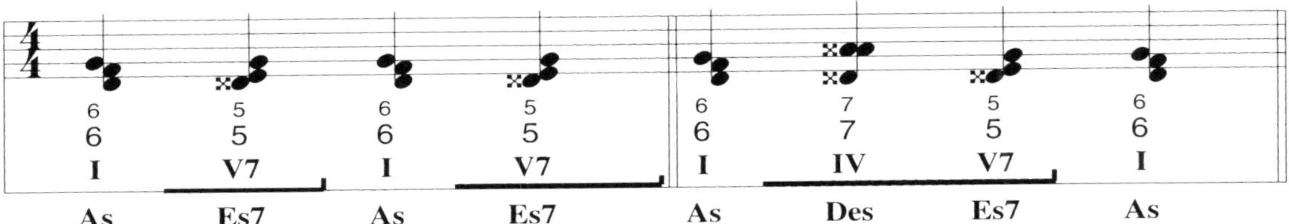

Tägliches Spielen der Kadenzen und der Übungen fördert die Bewegungsabläufe.

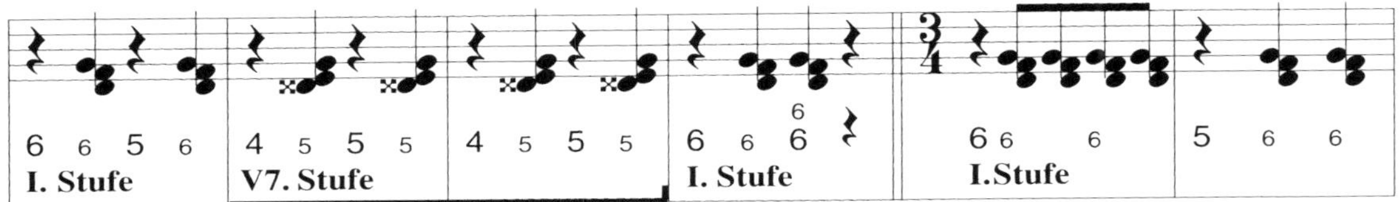

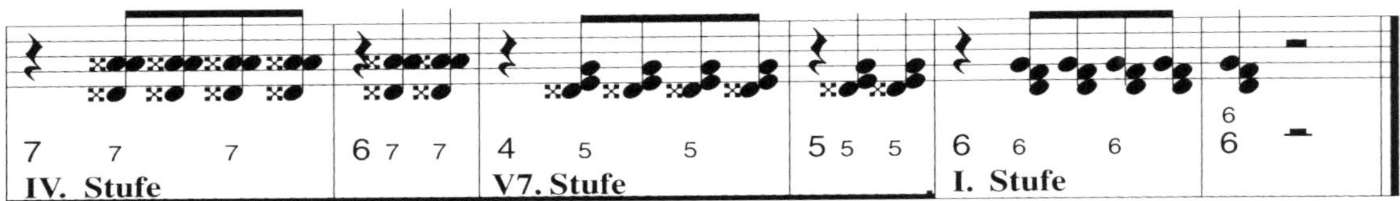

B-Dur

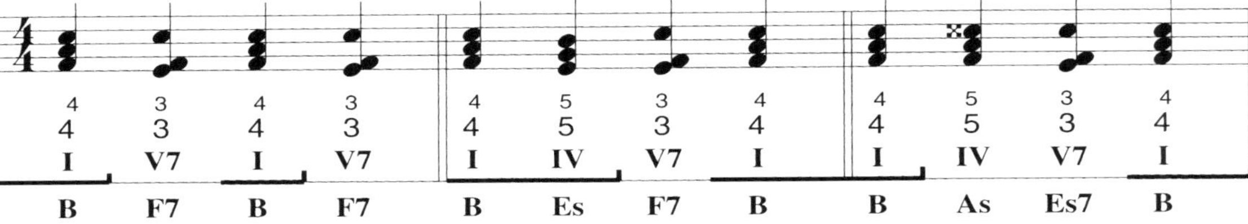

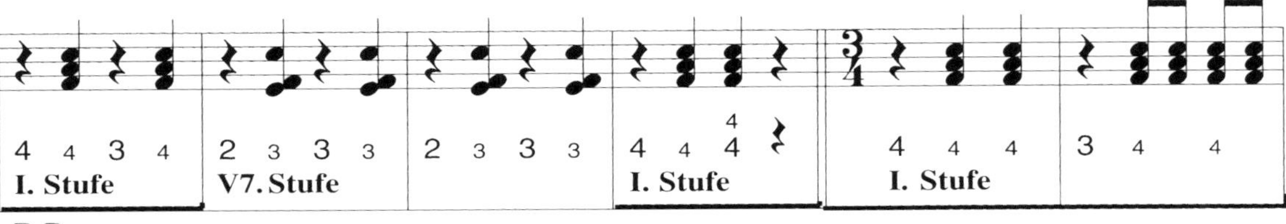

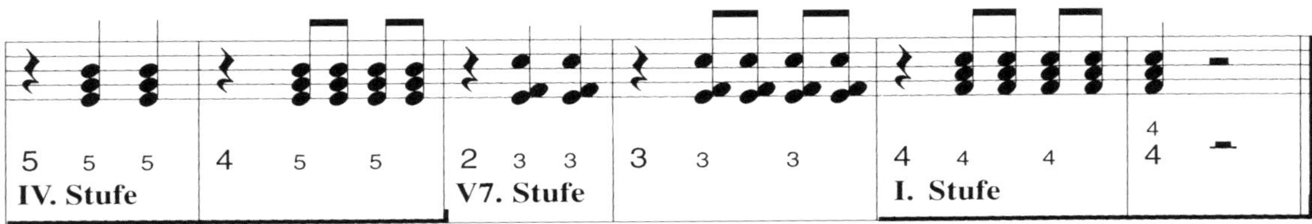

Duo-Party

Eine Reihenfolge der Teile, die oft angewendet wird, ist
z.B., 1,1,2,2,1,3,3" zweiter Durchgang, 1,2,2,1,3,3,
(a,a,b,b,a,c,c) (a,b,b,a,c,c)

Wetterglück

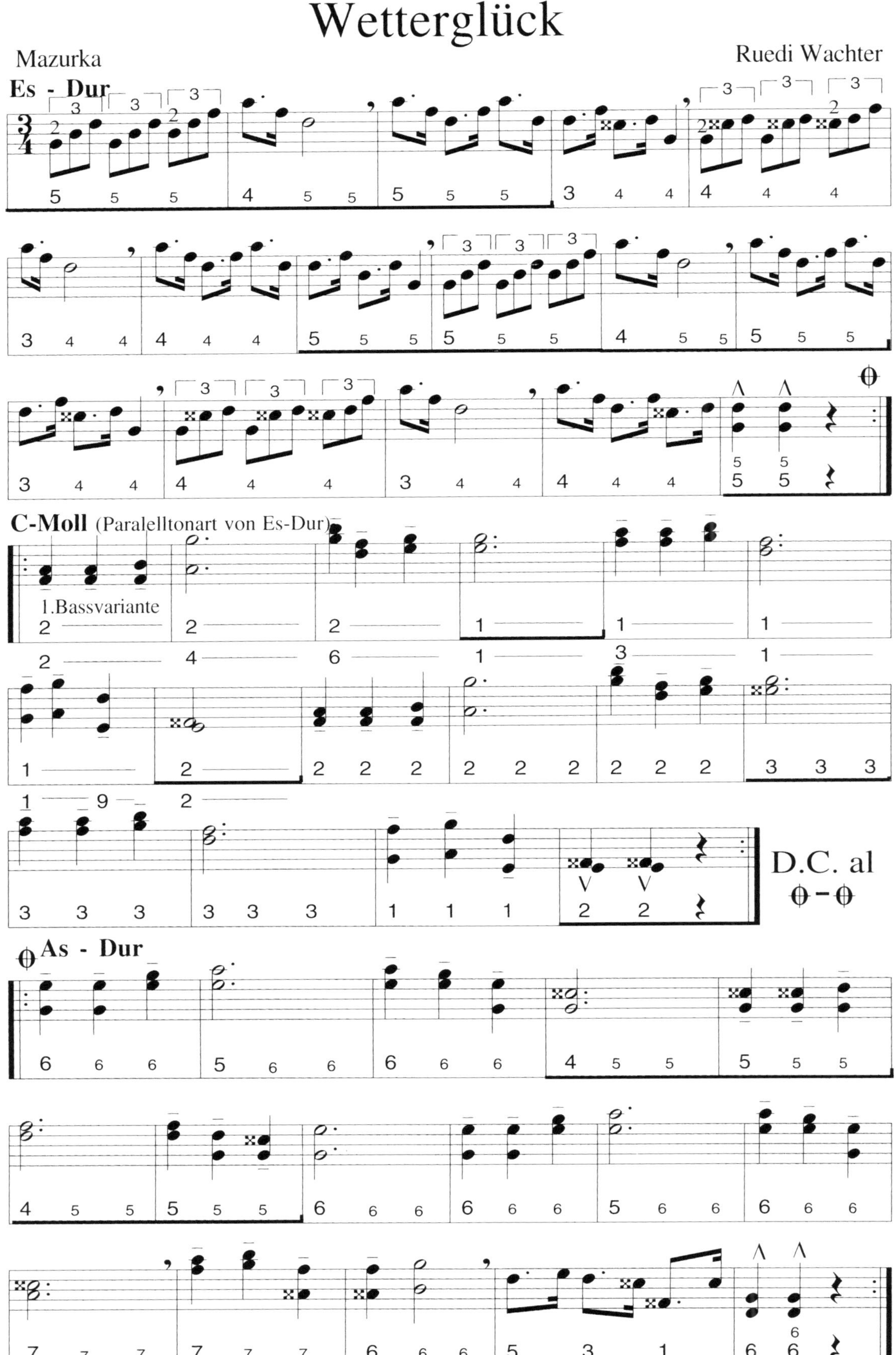

Kadenzen und Akkordfolgen

Die Melodieseite

Die Melodiebezeichnung für Schwyzerörgeli in B/ES-Dur

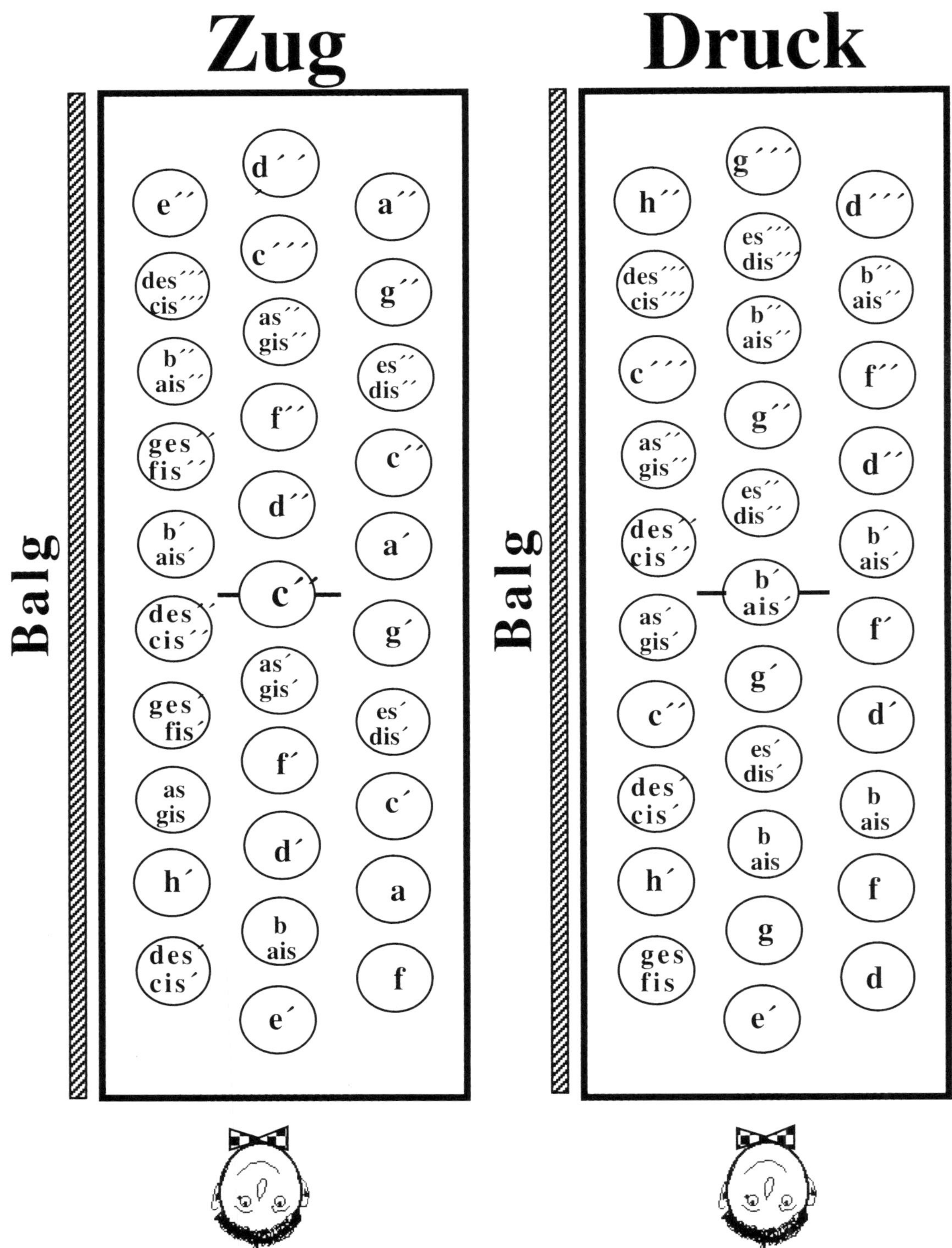